エリア・スタディーズ 194

ベルリンを知るための52章

浜本隆志
希代真理子〔著〕

明石書店

はじめに

今、ベルリンが熱い。若き起業家たちはスタートアップの地であるベルリンを目指す。ベルリンにはアメリカのシリコンヴァレーをしのぐ活気がある……と伝えられても、日本では何のことだといぶかる人びとが大多数であろう。たしかに、１９８９年のベルリンの壁崩壊や翌年の平和裏のドイツ再統一は、国際政治の歴史的な大変動として日本に紹介されてきた。日本メディアもこぞって特集を組んで、冷戦構造の終焉やその内実を報道した。

しかしこれは国際政治の枠組みという視点から分析され、その背後で生じたベルリンの社会、文化の複合的な地殻変動については、考えが至らなかった。遠く離れたヨーロッパで起きたことであったから、それは無理もない。では国際政治以外に、ベルリンの何がどう変わったのかを読者のみなさま方にご理解願うために、その前提として東西ドイツ分断時代のベルリンの位置関係を、蛇足ながら簡単にご説明しておきたい。

ご承知のようにベルリンは第二次世界大戦後、旧ソ連の統治地区を東ベルリンとして、西側のアメリカ、イギリス、フランスのそれをまとめて西ベルリンとして分割統治された。当所、東側と西側の間に壁はなかったが、冷戦構造の深化にともない経済格差が広がったので、西側へ移住する人びとが

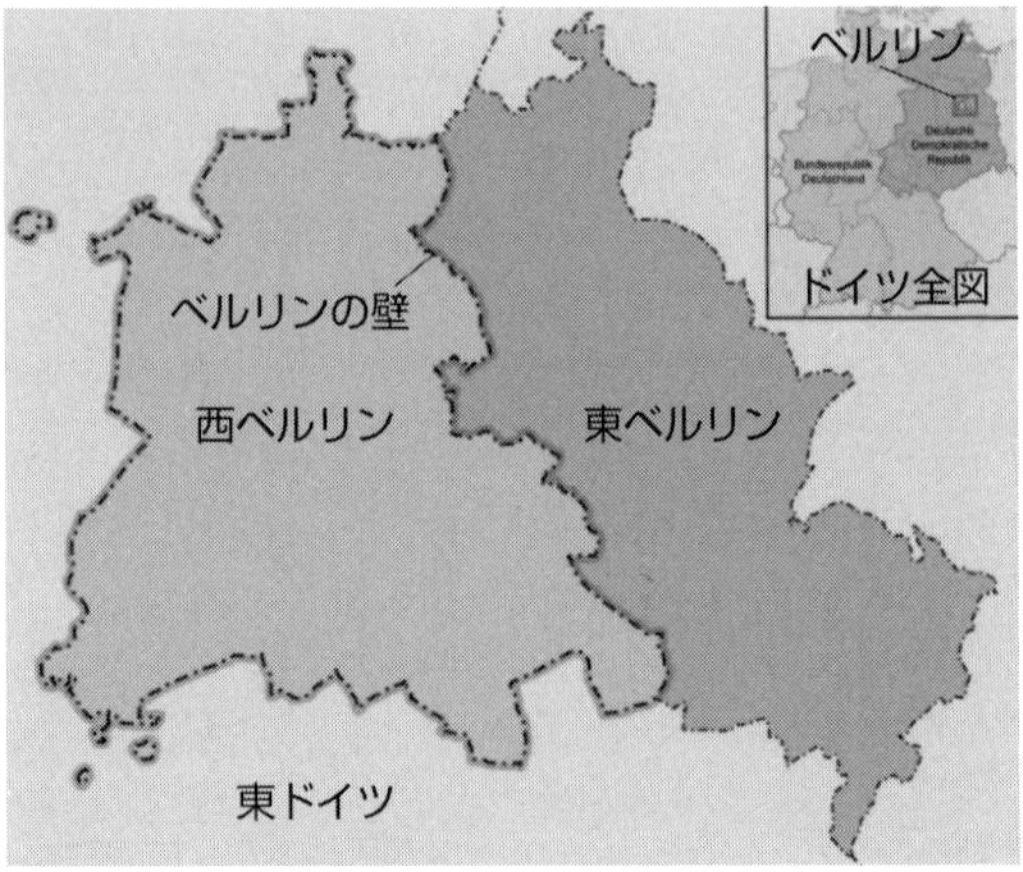

東西ベルリンの位置関係と壁

増化した。そこで東ドイツ政府は、1961年に東西ベルリンの国境に壁を構築した。いわば西ベルリンは壁によって囲まれた、旧東ドイツの「陸の孤島」のような状態に置かれた。その後、1989年に東西ベルリンを分断していた壁が崩壊したのであるが、それから旧東ベルリンの人びとの大移動が始まった。

この移住現象はおもに旧東ドイツ全体で起こったが、東ベルリン地区は首都でもあった関係上、有能な若い人材が集中していたから、西側への移住希望者も多かった。とくに高学歴の若い女性の移住が顕著であった。しかも社会主義において集合住宅に住んでいた人びとは、住居が財産であるという私有の観念を持っていなかったから、当然のように身の回りの品を携え、東ベルリンをあとにした。旧東ベルリンや旧東ドイツに残ったものは、高齢者や年金生活者たちが多かった。若者が去った結果、旧東ベルリンを中心に（ミッテ区など）空き家が目立つようになり、それは建設中の住宅を含めて約30％にも達した。そこへ西側の若者たちが不法占拠して住みつき、かれらはいわゆるスクワッター（空き家の無断居住者）となる。

ベルリンが注目されたのは、ドイツ再統一のお祭り騒ぎや、マルクからユーロへの転換がきっかけであった。その中には新生ベルリンで一旗揚げようという若者やアーティスト、外国人も多数混じっている。ここでは英語で生活することも可能であるからだ。こうして統一ベルリンに一種の「ネオヒッピー」の居住地帯が生まれたが、やがて起業しようとする人びとやＩＴ関係者も、家賃が比較的安かったのでベルリンを拠点にしようとして、集まるようになってきた。

ベルリン市当局もかれらの起業を支援し始めた。これが冒頭で述べたベルリンの熱気の根源であり、ベルリン発のスタートアップの内実である。この傾向は２０１０年頃から本格化したが、しかし人が集まれば家賃は高騰し、ベルリンもアメリカのシリコンヴァレーのあとを追従する可能性が大きい。現在はポスト・ドイツ再統一の時代に入っている。ベルリンは壁の崩壊という地殻変動から、移民の背景を持つ人びとを含めた多文化都市化していく過程にある。

このような背景により、ベルリンはドイツの他地域と異なる、大きな変貌を遂げてきた。本書は、その動向も踏まえながら、現代ベルリン事情を紹介することを出版理由のひとつにしている。それは、近未来のベルリンがどこへ向かってゆこうとしているのかを見通すことにもつながるからである。しかし日本にいてベルリンをみていても、その動向を肌で感じることはできない。旅行者としてあるいはベルリンに留学していても、ベルリンという都市の本質を理解することは容易ではない。筆者は長年ドイツ文化論や比較文化論にかかわってきたし、ドイツを何度も訪れ、比較的長期の留学もしたが、ベルリンに長期にわたって住んでいたわけではない。その意味で、本書の共著者としてベルリン在住20余年の希代真理子さんに加わってもらった。

彼女は日本の大学を卒業し、ベルリン・フンボルト大学のロシア語学科に在籍した後、ベルリンの変化を見届けたくなり、そのまま現在までここで暮らしているという経歴の持ち主である。さらに、ベルリン生まれのドイツ人と結婚し、2児の子育てをしながら、ベルリンに根差した生活を送っている。彼女は習得したドイツ語、英語、ロシア語などの能力を駆使して、メディアコーディネーターとして文化発信をしてきた。

この強力な助っ人、希代さんには、情報収集をお願いし、場合によっては現地を取材するというかたちで、本書の共著者として執筆に加わっていただくことができた。その結果、ベルリンの都市の行方を単なる旅行者や短期滞在者の目ではなく、定住者の視点で分析できることになったといえる。

こうして出来上がったのが本書であるが、その概要を簡単に説明しておきたい。前半のⅠ部～Ⅲ部では現代のベルリンをめぐる変貌ぶり、「環境都市ベルリン」、それから「生活都市ベルリン」という現代事情を述べ、Ⅳ部ではベルリンを訪れたいという人びとのために「ベルリンの名所」を採り上げた。後半のⅤ部～Ⅶ部ではベルリンの歴史を展望するというコンセプトになっている。前半の現代事情と後半の歴史は、分断されているのではなく、有機的に連動していることをご理解いただければありがたいと思う。

たとえば辺境の地であったベルリンが統一ドイツ帝国の首都となったプロセスには、プロイセンの東方植民運動、ユグノーの受け入れ、啓蒙主義と軍国主義などがあったが、ベルリンは第一次世界大戦、ナチスの台頭、第二次世界大戦の震源地となり、挙げ句の果てに廃墟と化す。ベルリンの波乱に満ちた歴史には、エスノ・ナショナリズム（民族・ナショナリズム）にもとづく「小ドイツ主義」、ナチス・ベルリン、東西冷戦の壁、外国人流入という激動の歴史が内包されているが、この波乱の歴史があったからこそ、現代のベルリンが存在するのである。現在、不死鳥のようにベルリンは生き返り、多文化メトロポリスとして世界へ発信している

以上の観点から、本書では現代ベルリン事情を展開するが、たんにこれはベルリンの都市論だけに閉じたものではない。日本の大都市東京にもフィードバックさせることを念頭に置いて編まれたものである。ベルリンの動向から日本の巨大都市と比較すれば、東京がどの座標軸にあるのか、その類似性と差異がクローズアップされよう。

今後の世界において、都市はますますグローバル化し、コスモポリタン化が進展するであろう。それはたんにベルリンだけの問題ではなく、世界の都市問題に共通するものでもある。しかし、各都市には長年の伝統を受け継いだ特色がある。その意味において、本書の試みがメトロポリスの近未来への展望に、何かお役に立つことがあればまことに幸甚なことである。

（浜本隆志）

2022年　8月30日

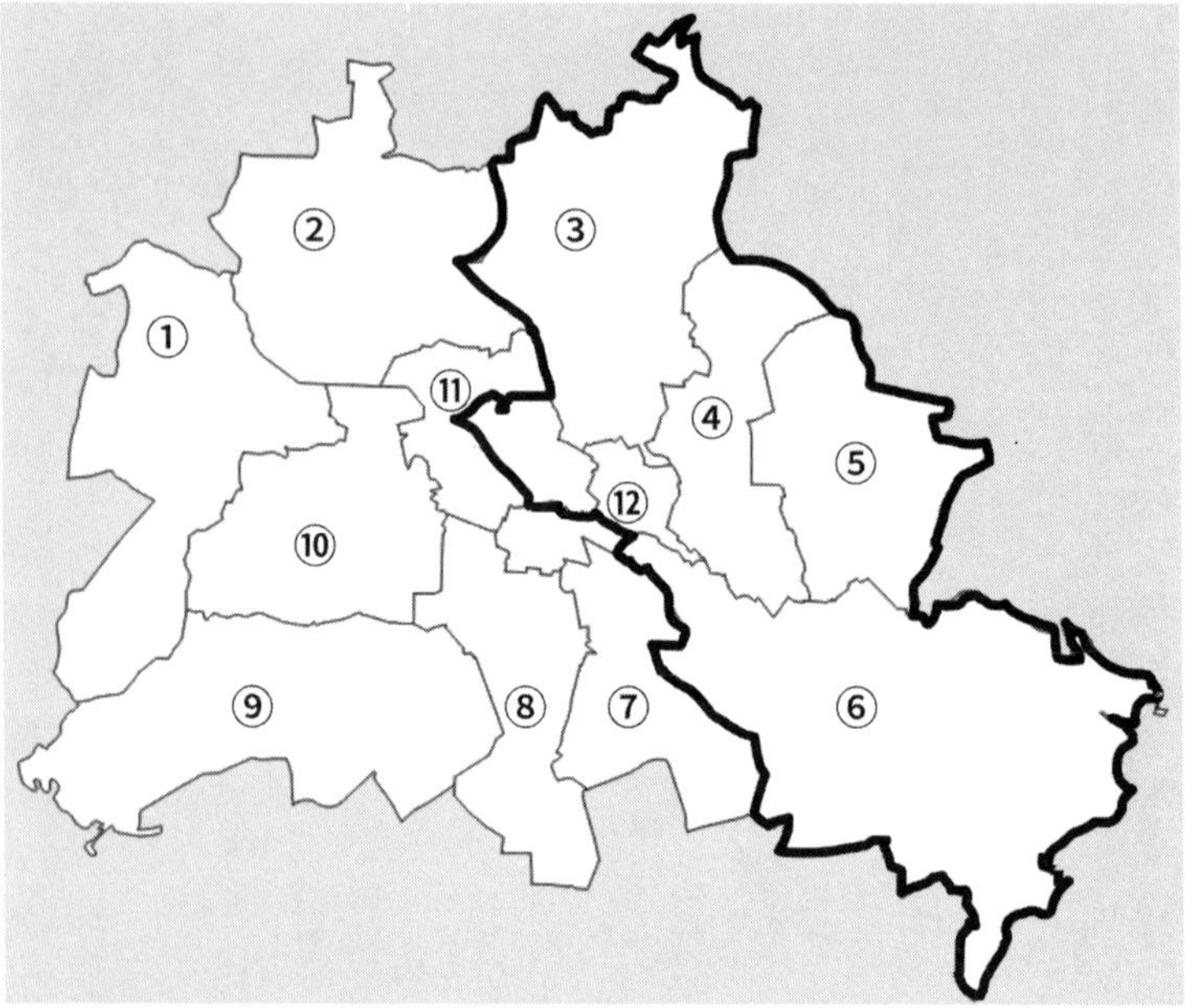

①シュパンダウ区（Spandau）

②ライニッケンドルフ区（Reinickendorf）

③パンコウ区（Pankow）

④リヒテンベルク区（Lichtenberg）

⑤マルツァーン＝ヘラースドルフ区（Marzahn-Hellersdorf）

⑥トレプトウ＝ケーペニック区（Treptow-Köpenick）

⑦ノイケルン区（Neukölln）

⑧テンペルホーフ＝シェーネベルク区（Tempelhof-Schöneberg）

⑨シュテーグリッツ＝ツェーレンドルフ区（Steglitz-Zehlendorf）

⑩シャルロッテンブルク＝ヴィルマースドルフ区（Charlottenburg-Wilmersdorf）

⑪ミッテ区（Mitte）

⑫フリードリヒスハイン＝クロイツベルク区（Friedrichshain-Kreuzberg）

ベルリン行政区一覧（太枠内区は旧東ベルリン）

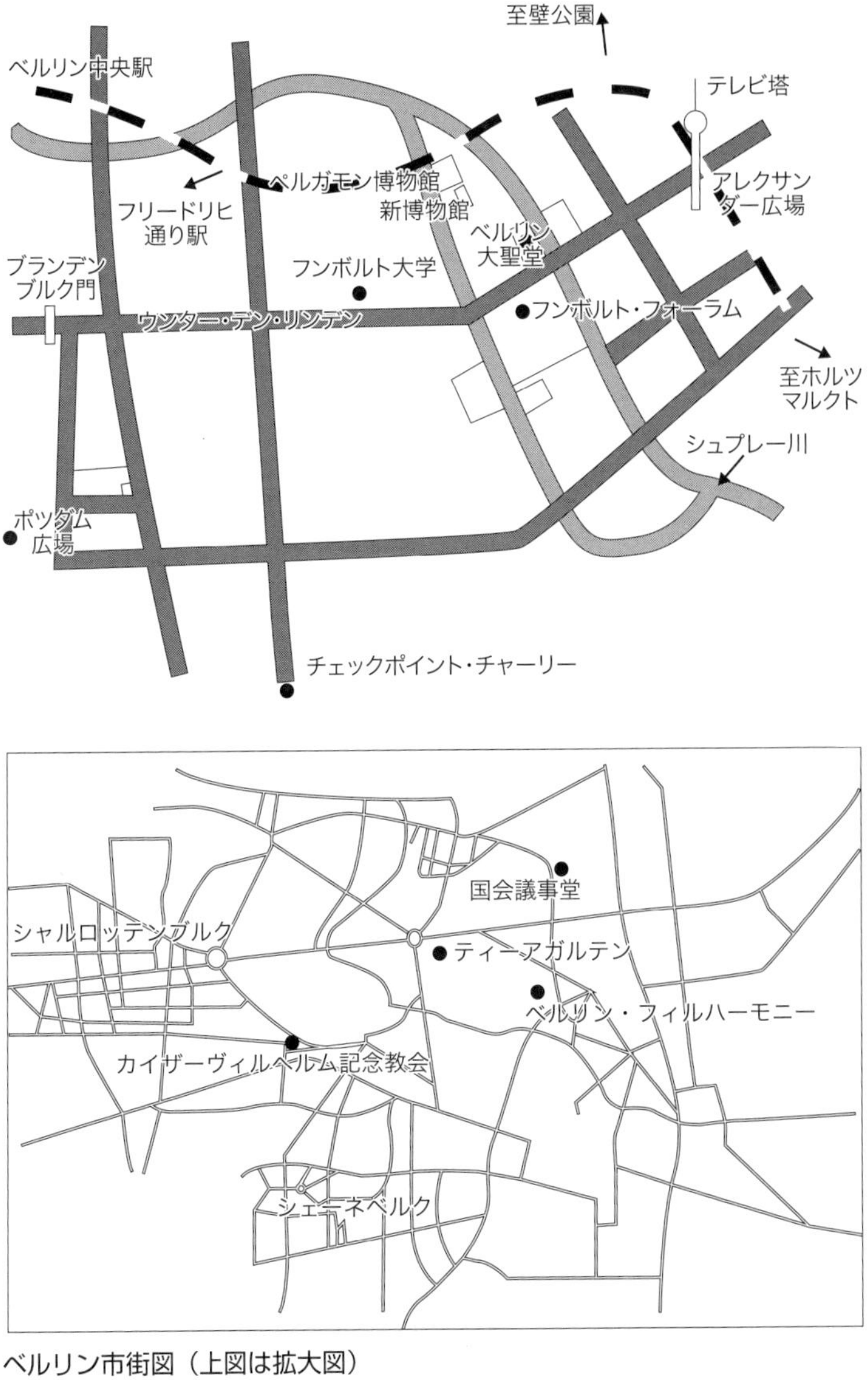

ベルリン市街図（上図は拡大図）

ベルリンを知るための52章

目次

V　ベルリンの歴史、辺境から政治の中枢へ

Ⅵ ドイツ帝国、ワイマル共和国からナチス時代のベルリン

Ⅶ 分割から再統一へ

I

変貌する現代ベルリン

1

ベルリン発スタートアップ

★パラダイムの転換とイノベーション★

都市農法「インファーム」

スタートアップ都市といえば、まえがきでも書いたアメリカのシリコンヴァレーが世界的に有名であるが、近年、脱出する起業家も増え陰りがみえている。その最大の理由は家賃も含めた住宅費の高騰にある。それに比べるとベルリンは、コワーキングスペース（共同作業空間）がアメリカに比べると比較的安いという特徴がある。

ベルリンは人口378万人（2021年）、ホットスポットは旧東ベルリンのミッテ区、旧西ベルリンのクロイツベルク地区である。これらの地区には起業家、アーティスト、外国人、移住者たちが多数集まり、自由で開放的な雰囲気が形成されてきた。ベルリンの活力は異文化が混ざり合うことによって生まれたといえる。ここでは雨後のタケノコのように多数のスタートアップが試みられているが、そのうちの特色ある「インファーム」社の取り組みを紹介しよう。スタートアップを立ち上げる人びとは、ユニークな発想に着目していることが分かる。

「インファーム」社は、2013年8月にベルリンのクロイツベルクで3人のイスラエル人によって設立されたベンチャー

図1-1：3人の創業者

図1-2：栽培工場

企業であるが、正式名はIndoor Urban Farming GmbHで、最新のIoT（モノのインターネット）技術を駆使し、無農薬、水と肥料を極端に減らす全天候型の新鮮な野菜生産方式を採用している。そのメリットは農業の原点である平面型土地利用でなく、垂直型の縦の空間利用を可能とする栽培方法にある。これは「垂直農法」といい、大量消費地である都会での野菜栽培を可能にして、農業生産や販売を展開できる。

「インファーム」社は都会の小型の植物工場で作った野菜をスーパーマーケットで販売する。これは生産者側の輸送コストがあまりかからず、従来の産業構造の概念を打ち破るスマート農法である。その最大のメリットは輸送ラインの短縮、いわゆる「地産地消」であり、近未来のCO2削減、環境問題の解決方法のひとつでもある。もうひとつ、根の付いた野菜販売であるから新鮮さが担保される。こうして「インファーム」社は、垣根を超えたイノベーションを引き起こしたといえる。

もちろん栽培品種、照明などの消費電力、設備投資、ランニングコストが問題であり、採算がとれるかどうか吟味したうえで企業を立ち上げ、現在拡大中である。野菜の中でもレタス、トマトやハーブ類が中心であるが、新鮮さの他に化学的農薬を使用しないという点がセールスポイントである。さらには環境に優しい農法という点もメリットである。大消費地である都

図 1-3：都市型農法による新鮮野菜の販売

市をバックグラウンドにすると、さらにビジネスチャンスは広がる。その意味において、近年、都市農業がクローズアップされるようになってきた。

現在、同社はベルリンだけでなく、ヨーロッパ各国、アメリカで事業を展開し、日本においてもＪＲ東日本が「インファーム」社と契約して資金提供し、レタス、ハーブ類からスタートさせる計画が２０２０年３月に発表された。設立されたInfarm Indoor Urban Farming Japanは、２０２１年１月から東京各地で野菜の販売を始めている。

都市農業というパラダイム転換

よく知られているように、一般には、農林水産業を第一次産業、おもに工業製品の製造を第二次産業、サービス業を中心とする第三次産業に分類する。図１－４にドイツの事例を示したが、国内総生産（ＧＤＰ）で比較すると、農業が産業としてはほとんど取るに足らないほど縮小していることが分かる。先進国はどこの国でも、このように農林水産業が衰退し、圧倒的にサービス関連業が肥大化した傾向を示す。

本来、農業は自然に恵まれた田舎で営まれ、都会にはなじまないものであった。近代化以降、農村から都会へ人口が流入し、都市化は文明の発展プロセスとされてきた。こうして農村部は食糧生産を

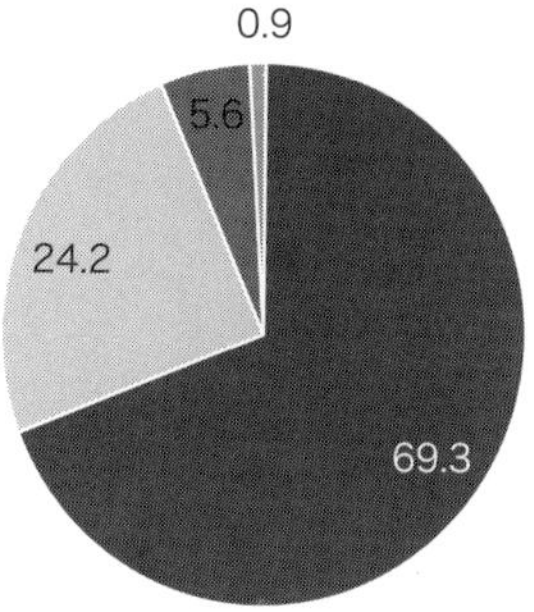

図1-4：ドイツの産業構造の対GDP比較（2019）

行い、都市部はそれを消費するところという役割分担をしてきた。近年ではそれが極端化し、農村部は過疎化して限界集落が広がる一方、都市部に人口が集中し、過密化してしまった。

都市はコンクリートと人工的な建造物で造られ、自然からもっとも離れた生活を余儀なくされている。しかしＩＴ技術の発展とともに、今後、都会においても可能な範囲でみずから食物を育て、消費する時代が到来するかもしれない。もちろんそれは限定的な野菜類にすぎないが、生産と消費を接近させる試みは注目に値する。これはいわば人間の原点回帰のひとつにほかならない。21世紀ではパラダイムの転換が起こり、食の分野において都市の再生を図る時期に来ているとも考えられる。

この視点からいえば、ベランダ栽培農法も決して侮れない。従来型の培養土栽培だけでなく、ＩＴ化されたキットというかたちで、知識がなくても自宅で自由に野菜栽培ができるようになったからである。太陽が差し込むベランダだけでなく、日常生活をしている部屋でも、人工的な光によって野菜栽培をするという、趣味と実益を兼ねることも可能となってきた。
ただし太陽と雨による自然農法の対極にある「インファーム」社のコンセプトは、人工的で植物の本来の生育を無視した農法であり、限定された野菜しか生産できないという批判もある。それは選択する人びとの世界観に帰着するが、いずれにしても「インファーム」社は、食を通じて人間の生活における生産、販売、消費という原点の問題を提起しており、この「生活革命」は注目に値する。

（浜本隆志）

2

フードバンク最前線

★食品ロスをなくす★

フードバンクの仕事

ドイツでは、年間1800万トンもの食品が廃棄されている。このうち半分は、まだ利用できるにもかかわらず廃棄を余儀なくされているものだ。毎日、大量の食品が生産され、品質に問題がなくても、経済循環の中で商品として売ることができなくなっているためである。それらの商品には在庫品、返品されたもの、賞味期限が迫っているものや、過剰生産品、傷のある商品などが含まれる。

フードバンクでは、おもにボランティアのヘルパーが小売店や製造会社から余剰商品を集め、長期失業者や低収入層など貧困に苦しむ人びとに配っている。近年、子どもや若者も低年金の高齢者と同様、貧困の脅威にさらされることが増えている。品質に問題のない廃棄食品を再配分することで、フードバンクは余剰と不足のバランスをとっている。社会の平等性とともに、サスティナビリティ（持続可能性）や資源保護も重要な使命である。ドイツ国内には960のフードバンクがあり、合わせて6万人ほどのボランティアが165万人の支援に携わっている。支援を受けている者の3分の1は子どもや若者で占められてい

図 2-1：配達中の余剰食（ベルリンフードバンク協会）

る。

ドイツ初のフードバンクは、1993年にベルリンのイニシアティブ「ベルリン女性協会」（Berliner Frauen e.V.）によって設立された。当時の社会民主党（SPD）議員、イングリット・シュターマーによる演説に感銘を受けたベルリンの女性たちが、街のホームレスの状況を改善するために動いたのである。アメリカから帰国したばかりのメンバーのひとりが、「ニューヨークのシティハーベストのコンセプトをドイツに移植してはどうか」という重要な問いを投げかけた。そして、市場で「余剰」の食品を集め、それらを必要としている人びとや社会施設に渡す、という発想が受け入れられることになった。

ベルリンのフードバンク協会の具体的な3つの活動をみてみよう。まず伝統的な活動として、「ベルリンフードバンク・クラシック」が挙げられる。各種相談所、学校、シアターや女性プロジェクトといった社会施設へ食料が配達され、届いた食料は参加者によって調理された後、料理がその場で提供される仕組みだ。

「体と心」（LAIB und SEELE）の活動は、低年金者や失業手当、社会保障やベーシックインカム受給者が対象だ。寄付された食料は無償、あるいは数ユーロでベルリン市内に46カ所ある場所で配布される。キンバ（KINBA、子どもフードバンク）は上記2つとは違い、子どもたちを対象とした活動をしており、ここではおもに、食育を通した共同学習や作業、そして食への興味や楽しみを与えることに主眼を置いている。KIMBAエクスプレスという車両では、子どもたちのためのワークショップが定期的に開かれている（図2－2）そうだ。

現在は「ドイツフードバンク協会」（Tafel Deutschland e.V.）と名称を改め、ベルリンに本部がある。過去29年ほどの間に、フードバンクは余剰食品を回収して社会的に恵まれない人びとに渡すという、社会運動へと発展することになった。オーストラリアのシドニーの「フードバンク」、オーストリア、スイスの「フードバンク」などが、ドイツを模範にした活動を展開している。

図2-2：KIMBAエクスプレス車両内でのワークショップ（ベルリンフードバンク協会）

フードロスの解消を目指すスタートアップ

前述の「フードバンク」が伝統的な流れを汲む社会事業だとすれば、近年増えつつあるスタートアップ系の動きも紹介しておく必要があるだろう。前述のフードバンクとの大きな違いは、利用したい人なら誰でも利用できる点にある。

同じくベルリン発の「サープラス」（SIRPLUS）は、2017年の創立以来、2500トン以上の生活用品を有効利用してきた。700以上のパートナーから提供を受けるのは、賞味期限間近、あるいは少し過ぎた商品や販売できない規定外の

図 2-3：ラファエル・フェルマーさんと詰め合わせボックス

商品である。こちらで扱うのはスーパーの商品ではなく、メーカーや生産者、物流業者や卸売業者など、より多くの商品をまとめて取り扱う業者がメインになっている。

食料の過剰生産を助長しないよう、また、前述のフードバンクではなく「サープラス」側に食料を提供するインセンティブを与えないよう、あえて謝意を示す金額しか支払わないよう配慮しながら活動が行われているようだ。ただし、パートナーの財務状況に合わせ、小さな農家などからは適正な価格で食料を買い取るといった配慮もなされている。

「サープラス」の原則は、ターフェル・ファースト（Tafel First）、つまり、前述のフードバンク（Tafel Deutschland e.V.）の活動が常に優先されるということだ。フードシェアリングは、「サープラス」の共同創業者であるラファエル・フェルマーが２０１２年に始めた運動であるが、約6万人のボランティアが、数万トンの食料を中小企業から救っている。かれらの活動は、あくまでもフードバンクの補助として、残りの部分をピックアップする役割を担っていることになる。

「サープラス」はこうして、フードバンクの重要な活動では足りない部分をカバーする役割を果たしている。両者の活動領域での重複はほとんどなく、ＭＥＴＲＯ（卸業者）のような一部の例外を除き、フードバンクが携わっていない余剰食料の救済に力を入れている。「サープラス」の主な利用方法はオンライン販売だが、ベルリンの南部に実店舗も構えたという（現在はコロナ禍の影響で閉鎖している）。独自商品も展開中だ。2019年の5月から、オンライン販売の売上金の一部はブルンジ共和国の子どもたちの給食費として寄付されている。

2016年にコペンハーゲンで創立した「Too Good To Go」は、SNSなどでよく目にするようになったので、筆者も早速アプリをダウンロードしてみた。自分の住んでいる近辺のカフェやレストラン、ベーカリーなどで余った商品を「マジックバック」として3ユーロから5ユーロ（400〜700円）くらいの料金で購入できるサービスや、ホテル、オーガニックスーパーや一般のスーパー、小売店などからも購入できるシステムである。カテゴリーも「朝食を受け取りに行こう」、「ランチにいかがですか」、「今すぐ受け取ろう」などそれぞれのニーズに合わせたサービスが利用できる。商品受け取りの時間帯も表示されており、使い勝手も良さそうな印象を受ける。

このように、ベルリンでもフードロスに対するさまざまな取り組みが行われている。毎日の暮らしの中で小さなことから何か始められることがないか、今一度考えてみるのもいいかもしれない。

（希代真理子）

3

シェアリング・エコノミー

★私有と共有★

シェアリングとは

「シェアリング」と聞いてまず念頭に思い浮かぶものは、カーシェアリングなどの移動手段や、宿泊先としてのルームシェア（民泊）、前述のビジネス用の作業空間のシェア（コワーキングスペース）などであろう。それのみならず、インターネットの普及とIT技術の進歩にともない、シェアリング・エコノミーという新たなビジネスモデルが徐々に日常生活へ浸透してくるようになった。基本的なコンセプトは、「使われていない資産を有効活用する」ということだが、シェアするのはモノだけではなく、住居スペースや食品、アート、庭やサービスなど多岐にわたり、さまざまに拡大されている。

ベルリンの街を歩いていると、「ご自由にお持ち帰りください」というメッセージとともに本や衣類、食器などが入った段ボール箱をよくみかける。不用品を単に捨てるのではなく、必要な人に届けるという意味では、これは一番簡単にできるシェアリングではないだろうか。このようなベルリンの経済市場にも大きな影響を与えているシェアリング・サービスについて、どのようなものがあるか羅列してみよう。ベルリン市のホームページに紹介されていたものだけでも多岐にわたるが、これらの中でベルリンらしいものをピックアップして、そのサービス事例を紹介してみたい。

ベルリンには公共交通網である「ベルリン交通局」（BVG）に加え、近年シェアリング事業が交通分野に参入してきた。初期段階では自転車のシェアリングが街中に広がったが、一度に数社が起業したため競争が激しかったのと、駐輪された自転車が通行の妨げになるなど、市民からはあまり歓迎されずに衰退してしまった印象が強い。自転車の次に増えたのが電動キックボードであるが、こちらの方はまだかろうじて生き延びている様子である。おそらくモビリティ・シェアリングの中で一番成功しているのは、カーシェアリング分野であろう。これは日本にもあるので説明の必要がないだろうが、日本ではこの言葉はレンタカーよりも短時間のシェアリングを指す。

アート・シェアリング

日本ではまだ一般化していない、ベルリンらしいシェアリングとして、工房シェアリング、アート・シェアリング、ブックシェアリングがある。芸術作品を生み出す工房シェアリングやブックシェアリングは容易に想定できようが、アート・シェアリングは、知識や文化などもオープンデータと捉えた、ドイツらしい独自のものである。

これは2016年の1月に「ベルリン中央州立図書館」（Zlb）と「新ベルリン美術協会」（n.b.k.）が共同で、アートテークを推進するためのワークショップを開催したことに端を発する。アートテークとは、芸術作品コレクションを管理・貸し出しする施設を指すが、両施設は同年8月より新たなアー

図3-1：新ベルリン美術協会（n.b.k.）のアートテーク、ジルケ・ワグナーによる展示スペース

ト作品の購入機会を設けた。このアートテークの所有するコレクションは、ベルリンに重点を置いた20、21世紀のモダンアートや現代アート6000点以上におよぶ。絵画、彫刻、水彩画、コラージュ、グアッシュ（不透明な水彩絵具）、スケッチ、版画から写真までジャンルはさまざまである。

アートテークでは、図書館で本を借りるようにアートを貸し出す方式を採っている。ここではおよそ1900点のアート作品を選ぶことができるが、たとえば10点のグラフィック、10点の油絵、5つの彫刻そして5点の写真を同時に借りることが可能だという。貸し出し期間は3カ月で延長もできるが、借りる作品を選ぶ光景は図3－1のようである。

なお中央州立図書館のコレクションについては、図書館カードがあれば無料である。新美術協会の方は1点につき3ユーロ（400円程度）

の保険料を払えば利用できる。２つのアートテークの利用者数は年間２万人ほどである。これは観賞する側のニーズだけでなく、アートを創作する側にも刺激を与える試みである。通常、アート作品はこれまで美術館所有か個人所有であったが、その鑑賞は展示会かせいぜい本を通じてであった。アートテークはそれだけでなく本物に触れる機会が拡大するので、アートのすそ野が広がり、アーティストたちの創作意欲を増加させる効用もある。

この章の最後に、ドイツ人のシェアリング文化についてコメントをしておきたい。ドイツに住んでいると、新製品に飛びつくのではなく、同じ物を壊れるまで長く使う人が多いことにも気付く。昔からこんな風にモノを大切に使う習慣のあるドイツには、シェアリング・エコノミーが広がりやすい土壌がすでに出来上がっているのではないだろうか。

シェアリング・エコノミーという考え方は、まず経済的メリットを生み出すという合理主義にある。しかしそれだけでなく、根底に人びとが都市生活における共同体の一員であるという意識がないと成立しない。これは中世都市を構成していた重要なバックボーンであった。ドイツだけでなく中世ヨーロッパでは、市壁によって都市が守られていたので、市民はたえず共同体の一員であるという連帯感を育んできた。

この共同体意識が合理主義と結び付いたのが、「シェアリング・エコノミー」という考え方だ。ドイツのベルリンではさらに持続可能性のある社会、相互扶助や社会的公平性といった考えがその根底をなしている。すなわち無駄を省いて、環境にも優しい社会をつくろうという意識が働いているのである。ベルリンにおけるシェアリング・エコノミーは、ここ数年で重要な経済事業にまで成長しつつある。カーシェアリングやコワーキングスペースといったシェアリング・サービスは、もはやベルリンの顔ともいえるだろう。

（希代真理子）

4

ベルリンとサブカルチャー

★変貌する拠点★

アーティストグループ「タヘレス」の行方

1993年にはじめて旅行者としてベルリンを訪れたとき衝撃的だったのは、東ベルリン側のアパートがどこまで行っても灰色だったことだ。長年修復されずに、今にも崩れ落ちそうなバルコニーの下を駆け足で通りすぎたのをよく覚えている。路上駐車されている車もほとんどなく、暖炉にくべる石炭を燃やす臭いが通りに漂っていた。壁崩壊後から数年経っただけのベルリンには、以前は壁のあった場所に多くの空き地が出現していた。

そのような隙間だらけのベルリンに、各国から自称アーティストなる人びとが押し寄せてきた。所有者不明の空き家に住みついたり、空き地を利用して夜な夜なイベントが行われたりした。再統一後のベルリンでは、クリエイティブで自由な空気が多くの人を惹きつけてやまなかった。中でもとくに印象的だったのが、旧東ベルリン側のミッテ区（巻頭図版行政区参照）にあった「タヘレス」（Tacheles）というグループだ。

「タヘレス」という名前は、90年代にアーティスト集団によって名付けられた。これはイディッシュ語で「目的・目標」

図 4-1：90 年代のタヘレスの中庭（筆者撮影）

という意味を持つ。かれらの拠点は、20世紀初頭に建設されたところだ。フリードリヒ通りのショッピングモールだったところだ。ここは第二次世界大戦でかなりの損傷を受けたため、壁崩壊後の1990年に取り壊される予定だった。しかしアーティスト集団のタヘレスによって占拠されたので、建物は撤去を免れ、一時的に維持されることになる。こうしてタヘレスは、ベルリンのアートおよびサブカルチャーのシンボルとなった。この建物はそのため、多数のアトリエやギャラリー、オフシアター、コンサートホールやバーを持つクリエイティブな空間としてベルリン市民や観光客を引き寄せた。

しかし、ベルリンの家賃の高騰の影響を受けてか、アーティスト集団との賃貸契約が打ち切られてしまう。その結果、2012年には強制退去が行われた。その後、4年間の空白を経て、2016年の4月初頭から改修工事が着手されることになった。そこはかつての面影が微塵もない、スタイリッシュなアパートやショップの入る複合施設に生まれ変わるという。ここにスウェーデンの写真美術館「フォトグラフィスカ」（Fotografiska）も2023年にオープンする予定である。

タヘレスはひとつの例にすぎないが、ベルリンのサブカルチャー・グループも、2000年以降に加速した建設ラッシュとともにその居場所を奪われつつある。とくに2010年以降は賃貸料の高騰が進み、新しい建物が建って街角から空き地や隙間という隙間が失われていった。それが結果的にサブカルチャー・グループが淘汰されていくことにもつながった。

図4-2：タヘレス跡地および周辺に建設中の複合施設（2022年5月筆者撮影）

サブカルチャーの発信地、ハウス・シュヴァルツェンベルク

開発ラッシュのベルリンでも、まだほぼ当時の面影のまま残っているのがハウス・シュヴァルツェンベルクだ。こちらもミッテ区にある開発の進んだハッケシェ・ヘーフェ（Hackesche Höfe）の並びにあり、当時の東ベルリンの建物がそのまま文化財として残されている。中にはアトリエ、オフシアター、アンネフランク・センターやオットー・ヴァイト博物館、バーやギャラリーなどが入っている。

ハッケシャー・マルクト（Hackescher Markt）周辺は、かつてユダヤ人にゆかりのある地域であった。第二次世界大戦までは「ショイネンフィアテル」（Scheunenviertel）と呼ばれるスラム街であり、ここにユダヤ人が多く住んでいた。

図 4-3：アンネフランク・センター入り口（筆者撮影）

ユダヤ人に縁のある場所なので、アンネフランク・センターもこの場所に２００２年からオープンしているのである。

たとえばオットー・ヴァイト博物館は、反ナチス主義者であったオットー・ヴァイト（Otto Weidt １８８３〜１９４７）にちなんで名付けられている。現在、博物館になっている場所で、かれは視覚障害者のためのブラシ工房を経営していた歴史上の人物だ。そして救いの手を差し伸べこの場所にユダヤ人をかくまった。その事実が明らかになったのは、ひとりの学生の研究によるものだった。この視覚障害者工房博物館の常設展は２００６年に、さらに記念館「沈黙する英雄」は２００８年10月にオープンした。このようにハウス・シュヴァルツェンベルクは、現在のサブカルチャーを観賞するのと同時に、当時の歴史を振り返ることのできる場所でもあるのだ。

話を現在のハウス・シュヴァルツェンベルクに戻そう。この建物には１９９５年にハウス・シュヴァルツェンベルク社団法人が設立されたが、「社団法人（Verein）」とは非営利目的あるいは公益目的の法人である。先述のタヘレスとは異なり、設立当初から建物の不法占拠などは行われず賃貸契約が交わされていた。ベルリン市や企業から助成金なども受けておらず、若い無名のアーティストを独自の資金繰りでサポートしている。運営費用はノイロティタン（Neurotitan）というショップ兼ギャラリーの運営や、アトリエの賃貸などで賄われている。ビジネス、インディペンデントアーティスト、非営利施設の複合利用の実現は、経済効果のある文化マネージメントの統合的なモデルとして機能しているといえよう。

現在の使用契約期間は2026年までとなっている。その後もさらに契約が延長できるオプションだそうだが、果たして存続できるのだろうか。年々新しい顔をみせるベルリンだが、商業的ではないサブカルチャーシーンの攻防は、社会の中で多様なアートや文化そのものに、どれだけ価値が求められているかどうかの指針にもなるだろう。通りを挟んだ向かい側には、2021年12月にアップルストアがオープンしている。ここは以前、老人ホームだった場所である。

シュプレー河畔のホルツマルクト

ベルリン市内にまだかろうじて残る不思議な空間がある。それがテクノクラブとして有名なBar 25から派生したホルツマルクト（巻頭図版参照）だ。ホルツマルクト（木材市場）という名前は、この場所が300年ほど前には木材の取り引き場だったことに由来している。ここはシュプレー川沿いの旧東ベルリンと旧西ベルリンの境界線に位置しており、ガス工場、埋立地、荒れ地、テクノクラブと時ともにその用途を変えてきた。すぐ側には「イーストサイド・ギャラリー」と呼ばれるベルリンの壁の一部が保存されている。かつて東ベルリンの中心だったアレクサンダー広場に立つテレビ塔もみえる。

ウォーターフロントという立地条件からも分かるように、この場所は「メディアシュプレー」とい

図4-4：シュプレー河畔のホルツマルクト遠景（筆者撮影）

うプロジェクトによって、行政による都市計画がトップダウン式に民営化され、移転される典型的な例となるはずだった。しかし、地元住民の反対により2008年には住民投票が行われ、河川敷の民営化の阻止が試みられた。それは法律上の理由から効果はほとんどみられなかったが、この投票によって「シュプレー河畔をみんなのために!」、という重要なメッセージを市民に広く伝えることにつながったのである。これはサブカルチャーが住民運動と結び付き、カウンターカルチャー（対抗文化）化している例であるが、カウンターカルチャーについては次章で取り上げる。

　このスローガンを引き継ぎ、ホルツマルクトは協同組合として2017年に設立された。公共スペースの提供やアーバンビレッジとして、近隣の住民や世界各国の人びとが集まる持続可能なコミュニティーを目指している。先に挙げた1990年代の「タヘレス」とは時代も違うため、その様相もかなり異なる。オーガニックのパン屋やカフェ、ワインセラー、テープアートのギャラリーなどからなるマーケットの一角やレストラン、クラブに加え、幼稚園や移住スペース、オフィスなどさまざまな施設を兼ね備えているからだ。

　ホルツマルクトは街の中心地で文化やアートのための場所を提供し、ネットワークづくりやコミュニティー強化を図りつつ、経済効率と持続可能性の双方を重視している。ホルツマルクトは今後も時代に合わせて、柔軟にその姿を変えていくことだろう。

壁崩壊後のベルリンの街からは隙間という隙間が姿を消し、新しく作り替えられることによって、街の表情やそこに移り住む人びとを変えてきたという経緯がある。時代の流れだとはいえ、やはりどこかで以前のベルリンを懐かしむ気持ちがあることは否めない。ベルリンを始め、旧共産圏であった中・東欧ブロックの各都市でも、非常によく似た現象が起こっているはずである。

（希代真理子）

図4-5：テープアートと幼稚園の入っている建物（筆者撮影）

5

ベルリンのカウンターカルチャー（対抗文化）

★脱資本主義の胎動★

カウンターカルチャーとは

前章では、ネオヒッピー、アーティスト、ストリートミュージシャンたちが再統合されたベルリンに集まり、既存の価値観と異なるサブカルチャーを生み出している例を紹介した。一般に、サブカルチャーは単に同好の人びとの集まるグループで形成されることが多い。それはもともと反体制運動を目指すものではないが、その中には主導文化に敵対するカウンターカルチャー（対抗文化）が生まれることがある。したがってサブカルチャーは広い概念であり、そこにカウンターカルチャーが包括されるという構図になる。

たとえば19世紀末に目を向ければ、急速に工業化し資本主義化していく社会の中で、ベルリンはワンダーフォーゲル運動の発祥の地となった。これは一種のサブカルチャーで、ロマン主義的な自然回帰運動であり、若者の心を捉え、ドイツ青年運動に発展していった。もともとワンダーフォーゲル運動は非政治的であったが、一方では後にヒトラー・ユーゲントへと、体制内組織に取り込まれた。他方が左翼青年運動へ分化し、反体制化するという経緯をたどる。厳密にいえば後者がカウンターカルチャーということになる。

さらにベルリンは、20世紀前半の混沌としたワイマル共和国時代に、「黄金の20年代」といわれる独自の都市文化を生み出した（226ページ参照）。この大都会へ地方から多くのドイツ人だけでなく、オーストリア、チェコスロバキア、ロシアから芸術家、文化人、当時のヒッピーなどが集まり、カフェハウスや文学サロンで時代の新潮流を創り出した。ところが1930年代にかけて、ベルリンは左翼的なカウンターカルチャーの都市となっていく。しかし勝利したナチスは反体制的な文化を「非ドイツ的精神」、「退廃芸術」として断罪し、かれらの作品を焚書処分にして、作家や芸術家たちをドイツから排除した。かれらはドイツに住めなくなり、フランス、スイス、スペイン、アメリカなどへ亡命せざるを得なくなった。

図5-1：ベルリンのカフェハウス

ジョブズ伝説とベルリンのカウンターカルチャー

ドイツでは排除されたカウンターカルチャーの事例であったが、近年、アメリカでは逆のケースが有名である。すなわちスティーブ・ジョブズ伝説である。かれはヒッピーにあこがれ、インドまで放浪した。それからの詳しい経緯は省くが、後にシリコンヴァレーでアップルを創業してコンピューターによって世界を制覇したことはよく知られている。コンピューターというツールを使って、ジョブズはその後、国家の概念を超えた超資本主義社会を創り上げた。

しかしベルリンに集まったネオヒッピーたちが、ジョブズのような特筆すべき伝説を創り上げたわけではない。たしかにかれらが試みたスクワット（不法占拠）というカウンターカルチャー運動は、もともと資本主義社会では違法である。ところが、スクワッターが大量に発生し、ベルリンの廃墟や空き部屋を占拠して改築するなどして住みつくと、当局は強制的に排除することができない。反対運動やデモが発生するからである。しかも東ドイツや東欧からのスクワッターは、かなりの人びとが共産圏で育ってきたので、所有という概念がないからなおさらだ。

図 5-2：ワンダーフォーゲル・グループ

このような一種のカウンターカルチャーは、ベルリンの中に別の都市共同体意識を生み出す。ベルリンのスタートアップ、シェアリング（共有）、コワーキングスペース（共働作業場）、クラブという発想は、そこが新しい文化の発信源にもなる可能性を秘めている。そうすれば、都市に住みながらも一種の都市共同体を築き上げることもできるからである。

脱資本主義への胎動

それにしてもベルリンには現在、多くの移民、外国人、移民の背景を持つ人びとが共存している。

とくにベルリンの壁の崩壊によって、旧東ドイツの価値観を持った人びとも合流した。第15章で取り上げる、ヴェジタリアンやヴィーガン（96ページ参照）がどんどん広がりをみせているのも、ネオヒッピーの自然派志向と深い関係がある。これを単に嗜好の変化と捉えていては、内包する地殻変動を把握することができない。

ベルリンにおける「フードバンク最前線」（23ページ参照）は、社会的無駄を省き、困っている人に施すという、資本主義システムと異なったコンセプトで運営されている。これはキリスト教的な福祉や贈与論と根底においてつながるものであるが、大量生産、大量消費という現代資本主義の中で、そのシステムでない脱資本主義の考え方は、徐々に市民権を得てきているように思われる。資本主義が生み出す膨大な無駄を、人間の知恵で有効利用しようとしているからだ。

さらに上で紹介した、ベルリンで始まっているシェアリング運動は、脱資本主義の一系譜に位置付けられる。その典型は芸術作品のシェアである。これはベンヤミンが『複製技術時代の芸術』で指摘した、コピーによって「アウラ」（オーラ）が頽落した（verfallen、喪失するという意）芸術作品の問題とは異なる。オリジナリティのままシェアするという発想は、資本主義の所有という発想を否定している。これはやはりドイツ的な合理主義の発想であり、独占的所有の対極にある共有の概念である。

図5-3：ミッテ区のスクワッターの住居（希代真理子撮影）

住居も独占的所有からシェアリングすれば、都市問題の一部は解消される。

これまでの人間の本性は、所有にこだわり、それにもとづく豊かな生活を目指してきた。考えてみれば所有欲は、執着すればますます物欲に囚われる特性を持っている。王侯貴族の芸術品コレクションもその典型であった。欲しい芸術作品や大邸宅を所有し、大邸宅や豊かな財産への願望は、中世以降の封建主義において代々継承されてきたが、この究極の姿が近代資本主義であった。その世界観は瞬く間に広がり、世界のスタンダードになってしまった。

ドイツでも18世紀以降、資本主義の価値観が一世を風靡し、努力して経済的に豊かになるための勤勉さが自明の理、揺るぎないものと信じられてきた。マックス・ウエーバーの『プロテスタンティズムの倫理と資本主義の精神』は、資本主義のバックボーンとしてアメリカでもピューリタンに継承された。しかし、その資本主義の本家本元のアメリカですら威信が揺らぎ、ポスト資本主義が考えられる時代になってきた。

ベルリンでも一部であるが、脱資本主義の胎動がみられるのは、人びとが資本主義の未来に対して懐疑的になっているからではないだろうか。たとえば現代の資本主義は、その原点であった本来のモノづくりから変貌し、「資本の論理」にもとづくマネーゲームを展開しているからだ。資本をグローバルに動かし、株式、先物相場、金などを買いあさる。利益を得るためには倫理観などはほとんど存在しない。

情報とモノを結び付ける巨大な企業は莫大な利益を得ており、さらにタックスヘイブン（租税回避地）へ本拠地を移転して、「節税」と称して税金の大幅な減免を謀っている。企業の利益をもっと国家や国民に還元すれば格差や貧困が軽減できるものを、内部留保やその増殖を計るのは、健全な企業倫理から逸脱しているといわざるを得ない。本来の企業は社会貢献も大きな柱であったが、異形の資本主義が現在、世界に蔓延している。このような意味において資本主義はひとつの転機を迎えているといえる。ベルリンの脱資本主義の胎動は、カウンターカルチャーが生み出す可能性を秘めているのかもしれない。

（浜本隆志）

6

ベルリンの「移民」と教育

★多文化都市の素顔★

「移民」と難民そして外国人

「日本人」としてベルリンに暮らす筆者も、厳密にいえば「移民」である。日常生活を送る上であまり意識することはないが、意外にこの視点を持たない在独邦人は多い。日本では移民という言葉がそれほど浸透していないからだろうか。1995年にベルリンに仮ビザで入国し、足を運んだ「外国人局」(Ausländerbehörde) も、2020年にはその名称が「移民局」(Landesamt für Einwanderung) に変わった。

ドイツでは「外国人」といっても、国籍を取得している人や外国籍の人もいるので、一体誰を指しているのかがよく分からない。さらに、ドイツ生まれだが両親が外国人である場合、子どもが二重国籍の場合もあり、ルーツ的に複雑なことが多々ある。そこで、ここ数年でよく使われるようになったのが、これらを包括する「移民の背景を持つ人」という表現である。さらに最近よく耳にする難民という言葉がある。「移民」は何らかの理由でみずから選択してドイツに移住した者、「難民」は戦争や迫害などの理由で国を離れる必要に迫られた者、といえばいいだろうか。

２０１５年にドイツが１００万人ほどの難民を受け入れたことは記憶に新しい。当時の出身国はシリア、アルバニア、コソボ、セルビア、イラク、アフガニスタンなどとなっており、紛争地域からの流入が目立った。首相だったメルケルが「私たちにはできる」（Wir schaffen das.）とコメントし、受け入れに理解を示した。もちろん「難民」に対しては、賛否両論があることはいうまでもない。肯定的な人びとは、少子化対策や労働力として期待をするむきもある。

２０１６年に難民をテーマに取材をしたときに決まって出た言葉が、「人道的観点から難民を受け入れた」ということと、「ドイツ語の習得がとにかく大事だ」という2点だった。それは言語習得がドイツでの生活基盤として不可欠であることを物語っている。

ベルリンに住んでいると、文字通りいろんな背景を持つ人たちと自然にかかわることになる。ベルリン生まれでベルリン育ちのわが家の子どもたちは、幼稚園に通っている時点ですでに日本でいうところの「国際的」な環境に置かれることになった。子どもたちがお世話になったのは公立のキタ（Kita: Kindertagesstätte、保育園兼幼稚園）だが、とにかく移民の背景を持つ家庭が多いためだ。長女が通っていた年はそうでもなかったが、長男のグループ構成はざっとこんな感じであった。

年中グループ：アルメニア、イタリア、中国、ドイツ、トルコ、日本、ポーランド、ロシア
年長グループ：アラビア語圏（国は不明）、イギリス、イタリア、ドイツ、トルコ、日本、ロシア

ちなみにグループの人数は12人。グループ内に両親がどちらもドイツ人の家庭が2家族しかいない年

もあったくらいだ。担当の保育士が、ジェスチャーを交えてのコミュニケーションがかろうじてとれるドイツ語力しかない家庭がひとつある、と話していたのを覚えている。

ベルリンに住む移民のおもな出身国はどこなのだろう。そしてその割合はどの程度なのか。図6-1は2021年のベルリンに住む外国人数を表したものである。トップがトルコ人、2015年前後に増えたシリア人も上位に食い込んでいるが、中・東欧諸国からの移民も多い。80年代末から90年代初頭にかけて、中・東欧からの難民が西ヨーロッパに殺到した時期があった。とくに91年はユーゴスラビアの解体にともなう民族紛争の激化で、バルカン半島からの難民が急増し、半数近くがドイツに入国した。

子どもの小学校教育

長女が小学校3年生のときのクラスは26人だったが、名簿の名前をみる限り、そのほとんどがドイツ人家庭であった。割合としては8割くらいになるだろうか。キタであれだけの割合を占めていた移民の背景を持つ家族はどこに行ってしまったのだろう。

そこで思い当たるのが、学校選びの問題である。ベルリンでも外国人が多いミッテ区には公立の小学校が8つあるが、トルコやアラビア語圏の生徒が8割以上だという学校が、隣接するミッテ区内のヴェディング地区に2つほどある。これらの学校ではアラビア語やトルコ語を母語とする子どもたちが、母語の定着とそれによる2カ国語使用（この場合はドイツ語）をサポートする授業を選択できるようになっている。近辺に住むドイツ人家庭はそのような学校を避ける傾向にあるので、区をまたいで

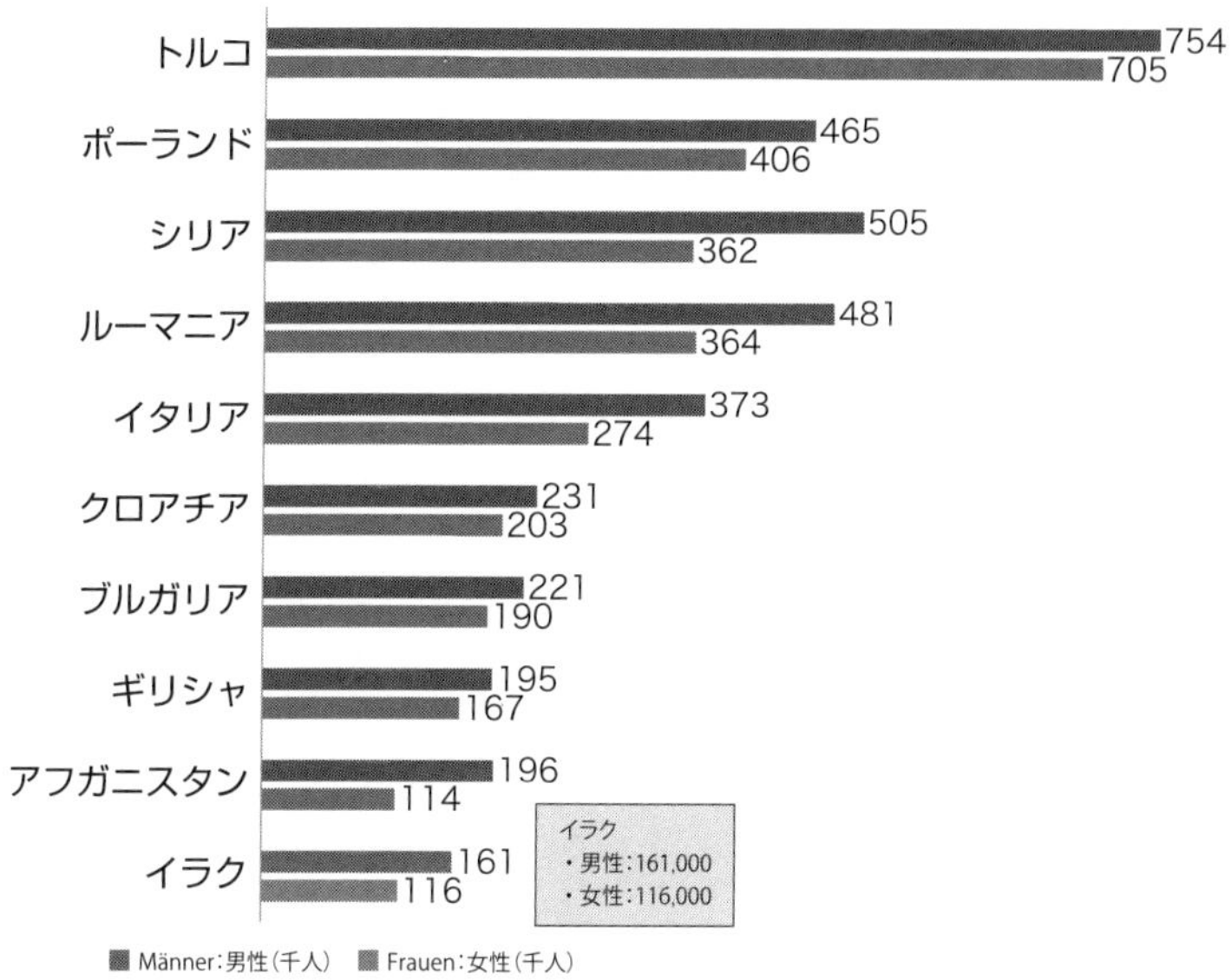

図 6-1：2021 年におけるベルリン在住の上位 10 番目までの外国人の数（国籍別にグラフ化）

希望する先で席が確保できなくなる子どもが出てくる、というわけだ。

ミッテ区内の小学校についても、蓋を開けてみるとどうやら「人気の学校＝ドイツ人の割合が多い学校」という構図があるらしい。たしかに、ドイツで自分の子どもをあえてドイツ語しか話せない子どもたちの多い学校に入れようとは思わない。キタでも常々感じたのが、片言のドイツ語しか話せない子どもたちの多いグループではドイツ語力が伸び悩む、ということだった。小学校入学のための案内冊子によると、ベルリンでは約3分の1の子どもがドイツ語が母語ではないらしい。これは思った以上に高い割合である。いわゆる「バランス・バイリンガル」と呼ばれる人は、2つの言語をしっかりと操ることができるが、家庭でドイツ語を全く使用しない環境で育つと、そのバランスを維持するのはかなり難しくなる。これも一概にはいえないが、やはり現地語がまず基礎としてあって、それにプラスアルファというのが理想ではないだろうか。思考のもとになる言語が確立していないと、物事を考える力が備わらないからだ。

大量の難民や移民の背景を持つ人びとの受け入れによっても、小学校入学時点で基礎ドイツ語ができない子どもが近年はとくに増加傾向にあるはずだ。実際、息子の小学校のクラスメートにもドイツ語があまりできない子どもが数名いる。同じ教室に座っているのが苦痛で何度か早退したこともあるらしい。小学校によってはドイツ語の補習授業を行う「ウェルカムコース」を設けていないところも多いためだ。

ドイツという国はガストアルバイター（出稼ぎ外国人労働者）などの移民を迎え入れてきた長い歴史があり、トルコ人家庭のドイツ語能力についてはすでに以前から問題になっていた。小学校の申し込み用紙にも必ず、両親の出身国、母語、家庭での使用言語、子どものドイツ語能力などについて問われる欄があるのも、この「基礎ドイツ語力」が重要なテーマになっているからだろう。国レベルでもさまざまなインテグレーション（統合）支援対策を立ててはいるものの、それがどこまで現場目線で行われているのか、その実情は知る由もない。個人それぞれの背景や渡独理由、経済状況、精神状態などはまさに十人十色。まずは生活のために「基礎ドイツ語力」を付けろ、と上から目線でいわれたところで生活を回すのに精いっぱいという人たちも多いだろう。

今後も「移民」と教育の問題は注目していきたいテーマのひとつであるし、何か自分にもできることがないか考えてみたい。筆者もドイツ語で苦労してきたので、他人ごとではないというのもその理由である。

（希代真理子）

図6-2：　小学校の授業風景（筆者撮影）

7

新型コロナ・パンデミック下のベルリン

★ドイツ流対応★

マスク着用と市民

2020年の1月にドイツの南西部ではじめて、新型コロナウイルスの感染者に関する報道が出た。約2カ月後の3月20日にはドイツ南部のバイエルン州を筆頭に、外出制限令が施行された。翌週からベルリンでも外出制限が行われることになった。これまでに前例のない事態にベルリン市民の戸惑いは大きかった。3月中旬頃から、児童公園の入り口などがワイヤーで封鎖されていたのをみて驚いた記憶がある。屋外で子どもが遊ぶことさえ許されない、どこか重々しい空気が漂っていたのだ。ベルリンではその頃から小学校も休校になった。突然の休校に対応しきれない家庭も多かった。家庭学習に切り替わったことで、自宅学習への対応など保護者の負担が急に増えることになったためだ。

そのようなパンデミックによる外出制限下においても、市民はマスク着用の必要性を理解できずにいた。ドイツ人は雨が降ってもなかなか傘をさそうとしないが、マスク着用についても、どこかそれに似たものを感じたほどだ。もともと日本のようにマスクをする習慣がないのと、各省庁や専門家、そして多くのメディアも当初は「マスクを着用する必要はない、マスク着用は無責任な消費である」とまでいっていたのもその一因となった。「簡易マスクでは100%の保護は不可能であるし、正しく着用しなければ効果はゼロ、マスクは医療関係者が使用できるように確保するべきだ」とされていた。日常的にマスクをしないドイツでは、そもそも入手できるマスクの数が全く足りていない状況だったのだろう。

当初、ロベルト・コッホ研究所（RKI）は、急性の呼吸疾患を持つ人にだけマスクの使用を勧めていた。しかし2020年の4月には当初の見解を覆す。「手作りの布マスクやサージカルマスクを使用していれば、コロナウイルス感染リスクを減らすことができる」と発表したのだ。筆者もカフェで友人とマスクを手作りしたくらいである。

この時期に印象深かったのは、ベルリンで外出制限が出る以前の、2020年3月11日に州立の大劇場が閉鎖を決定したことだ。同月13日には図書館、オペラ座、劇場といったすべての文化施設が閉鎖されることになった。また、それにともない、ベルリン市の緊急支援策は前例がないほど迅速に行われた。外出制限の制定に至るまでの過程も、ウイルスの専門家を交えた会議が長時間行われ、各文化施設から責任者を呼び、長期的な視点から具体的な話し合いが持たれた。パンデミック初期のベルリン市の対応の速さは、多くの市民に安心感を与えたようにみえた。

市民の不安とコロナ対策反対デモ

ドイツも今回のような規模でのパンデミックはまだ経験したことがなかった。外出制限などの決定は感染症予防法を軸に、州や自治体がそれぞれ規定を定めるかたちが採られた。ドイツが連邦制であるゆえんである。

ドイツ政府の対応も、ロベルト・コッホ研究所などの専門機関との連携で、滞りのない印象を受けた。実は同研究所はすでに、2013年に「サーズ Modi-SARS ウイルスによるパンデミック」（Risikoanalyse „Pandemie durch Virus Modi-SARS“）というタイトルで、来たる将来に起こるであろうパンデミックのリスク分析を政府に提出していたのである。この報告書をもとに、ドイツでは何年も前からパンデミックのリスク対策が幾分かは進められていたことになる。

専門家を交えた話し合いの場が頻繁にもたれ、決定事項は質疑応答を含め、プレス会議でそのつど発表された。いざというときにはメルケル首相が国民に向かって理解を求めるための演説を行う。このように論理的な面と感情的な面での対応も、非常にバランスがとれたものであった。

その一方で、パンデミック下の市民の不安を利用する動きも、徐々に不穏なものになっていく。2020年5月1日のメーデーの日には、取材中のカメラクルーがデモの参加者に襲撃されるという事件が起きた。もちろんこれらメディアに対する攻撃は、コロナウイルスのパンデミックだけに因由するものではない。それ以前にも、右派政党の「ドイツのための選択肢」（AfD）や、反イスラム運動「ペギーダ」（PEGIDA）と呼ばれる団体が、意図的に用いるポピュリズム的なシュプレヒコールや言い回しの中で、〝嘘つきプレス〟（Lügenpresse）といったものが多用されるようになってはいたからだ。

「水平思考711」（Querdenken-711）といった、コロナ対策に反対するグループも大規模なデモを実施するようになる。Querdenkenとは「人とは違ったものの見方をする」という意味合いのある言葉だ。この団体は、政府のコロナ対策措置と基本法の侵害に反対するという名目で、何度もデモを組織してきた。これらのデモにはワクチン接種反対者、たとえば陰謀論説信者から右派ポピュリスト、極右や極左に加えて一般市民までもが入り乱れ、テレグラムなどのチャットグループによる組織化も展開されている。こういったSNSを駆使した印象操作やフェイクニュースの拡散も、有事には必ずといっていいほど問題になる。

図7-1：2020年5月　コロナ下のデモ（ベルリン、ほとんどがマスクなし）

２０２０年のデモの中でも、とくに注目を浴びたのが、８月末に連邦議会議事堂前で起こった「帝国市民」（Reichsbürger：ライスビュルガー）と警察官との衝突である。これは「ベルリンに突撃せよ」というスローガンを掲げたデモで、「帝国の手によって」議事堂を取り戻そう、と国会議事堂の正面入り口の突破を試みたものである。この団体は１９８０年代にすでに存在しており、２０１０年頃からまた活発に活動を始めている。端的にいうと、現ドイツ連邦共和国を認めず民主主義を否定する、極右の団体である。

これらの団体に共通していえることは、新型コロナウイルスのような目にみえないウイルスが引き起こす人びとの不安に、圧力団体として付け込もうとすることだ。有事の際に「コロナは存在しない」と断定したり、「ドイツ連邦は存在しない」と現政権を真っ向から否定したりすることで、現状の不安を払拭し、自分たちの都合の良いように目の前の現実を書き換えようとして行動を起こす。このような人びとをベルリンで数多くみてきた。

政府の決定と民主主義

2年以上にわたるパンデミック下という困難な状況の中で印象的だったのは、先に述べたような一連のコロナ政策に反対するデモなどを禁止するのではなく、基本的にはルールさえ守ればデモが許可されてきたことだ。実際はマスク着用義務や距離の確保などを守らない参加者があとを絶たず、警官と衝突する場面も多々あった。コロナ禍によって、言論の自由や基本的人権を大切にするドイツのあり方が可視化されたといえよう。そのつど、時間をかけて議論し、できるだけ納得のいくかたちでルールを決めて実行に移す。

結果がともなわず明らかに間違いだと分かれば、それを認めて真摯に謝罪する。上からの押し付けやトップダウンで条例を施行したりはしない。迅速な対応が求められる有事の際には、時間もかかる上、多大な労力が必要とされるプロセスである。政治家や専門家会議で長時間の議論の末、出された結果が憲法裁判所によって覆される、というようなこともこれまでに度々起こっている。「民主主義」というものはそれほど簡単なものではないし、非常に骨の折れる面倒なものなのだ。

2021年の年末から、感染力の強いオミクロン株のニュースが流れるようになった。2022年の春になっても感染者数の記録を塗り替えるばかりで、収束の気配は全くみられない。それでも、ショルツ首相を始めとする新政府はコロナ政策の緩和を決定した。最低限のルールであるとされていたマスク義務を学校やスーパーなどで撤廃するというものだ。もちろん、この決定に対しても多くの批判が寄せられている。導入後の状況によっては再度ルール変更があるかもしれない。

この現状に賛否両論があるにせよ、このように、一進一退を繰り返しながら収束に向けての政策が当分は続けられるのだろう。議論の行方が注目されていた一般向けのワクチン接種義務化は２０２２年４月初頭に否決された。同年３月15日以降、医療機関や高齢者介護施設に勤務する従業員を対象にワクチン接種を義務付けているが、今回の感染症予防法の改正案が否決されたことにより、ワクチン接種の義務化拡大についての議論は後退するだろう。トップダウンでルールを押し付けるのではなく、そのつど時間をかけて政策を練り、うまくいかなければやり直す。しかしそれを通じてこそ社会が成り立っていくことを、このコロナ禍で痛感させられた。

（希代真理子）

II

環境都市ベルリン

8

ポスト・メルケル新連立政権

★移民から環境へ★

ポスト・メルケル

すでに過去の歴史となったが、2015年にドイツへ移民・難民が押し寄せ、前述のように、メルケル首相は人道的な見地から100万人規模の移民・難民の受け入れを表明した。その結果、ドイツ国内だけでなくEUにとっても、130万人の移民・難民は賛否両論を引き起こす問題となった。とくにEU域内のハンガリー、ポーランド、チェコ、スロバキアは、この措置に強硬に反対した。こうしてEU内に反移民・難民運動とポピュリズム政党の台頭を促し、深刻な亀裂が生み出された。

ドイツ国内では極右政党である「ドイツのための選択肢」が急先鋒となって反移民・難民運動が沸き起こり、それを支持する人びとが増えた。これも一種のポピュリズム運動であるが、時流に沿って反移民・難民運動は人びとに浸透していった。その影響もあってメルケル首相は支持率を落とし、早々と2018年10月に退陣を公表し、それにつれて与党のキリスト教民主同盟（CDU）も打撃を受けた。このような状況によって、2021年9月の国政選挙が注目されたが、CDUは得票率を減らし、その結果、メルケル長期政権は予定通り退陣をした。ところが国政選挙のレベルでは、コロナ禍の影響もあり、注目された「ドイツのための選択肢」も得票数を減らした。

ただし、移民・難民問題がメルケル退陣の決定的な原因だと決めつけるのは短絡的思考である。メルケル首相の16年という長期政権が、人びとに心理的作用をおよぼし、変化を生み出したのである。しかしそれでも新内閣は、移民問題から環境問題へとシフトしていくであろう。というのは、その内閣では緑の党がキャスティングボートを握っているからである。

新連立政権の「信号機内閣」

２０２１年の９月の総選挙の結果、これまで政権の中枢を担っていた中道右派の「キリスト教民主同盟」（ＣＤＵ）は下野し、「社会民主党」（ＳＰＤ）、「緑の党・90年同盟」（Bündnis 90/ Die Grünen、「緑の党」と表記）、「自由民主党」（ＦＤＰ）という中道左派の連立政権に替わった。３党のそれぞれのシンボルカラーが赤、緑、黄色であるので「信号機内閣」と名付けられた。

新首相の社会民主党のショルツ氏は地味であるが、前メルケル政権においても「財務相」兼副首相を務め、政治手腕には定評があるので、安定性を発揮するのではないかとみられている。注目されるのは、台頭してきた緑の党である。この環境政党は、世界的な地球温暖化を踏まえたカーボンニュートラルの時流に乗って注目され、選挙においても追い風に乗ったと評されたからである。

緑の党は環境問題に特化したワンイシュー政党のようにみられているが、実態はそうではない。環境問題やエコロジーは、平和主義、人権問題、マイノリティへの取り組みとも深く連動しているから

図 8-1：ショルツ首相

である。その意味において緑の党は、明確な社会的役割を果たそうとする思想的立場を持っている。現在注目されている緑の党の政治家のうち、以下に述べる２人をクローズアップしたい。

現在の緑の党は、党是によって２人の共同党首を擁するが、ベアボックは41歳という若い女性党首であり、現実主義者で実務能力に優れ、国際法にも造詣が深い。著書出版において引用の不手際で批判されたが、ドイツで女性初の外相に就任したことで注目されている。彼女は反中国・反ロシア派とみられ、中・ロの人権問題を批判してきたので、今後、ドイツの外交政策に大きな変化がみられるはずである。

メルケル首相は経済重視という視点から、在任中、訪中12回という中国との「蜜月」関係を築いてきた。しかし新連立政権は、これまでメルケル首相がまとめてきた、中国との「包括的貿易協定」を批准しないとしている。またロシア語が堪能なメルケル首相は「ミンスク合意」（２０１５年発効）を発案し、ロシアとウクライナの和解に腐心してきた。ベアボック外相は閣僚経験がなく、政治的手腕は未知数であるが、理念の上で納得できなければ反対意見を主張するので、ロシアの「ウクライナ侵攻」をめぐり、この外相の発言の行方が耳目を集めている。

ベアボックと同様に注目されているのは、ハーベック（１９６９年生まれ）党首である。かれは２０１９年３月のＺＤＦの世論調査では、一時期メルケル首相を抜いて人気度ナンバー・ワンに躍り出た。

図8-2：右：ベアボック外相
左：ハーベック「経済・気候保護・エネルギー移行」大臣

作家出身で、左派系には理念にこだわる政治家が多い中、弁舌さわやかな現実主義者である。近い将来、ドイツ政治の中で重要な役割を担うスターと目されている。新政権では「経済・気候保護・エネルギー移行」大臣に就任し、環境政策を担うことになる。この硬軟併せ持った両者の閣僚の登場によって、ドイツの経済、外交政策は目が離せなくなるであろう。

新連立政権の環境政策

２０２１年11月に、ＣＯＰ26「国連気候変動枠組条約第26回締約国会議」がイギリスのグラスゴーで開催され、環境問題が喫緊の地球的規模の課題であることは、ドイツ国民もよく承知している。ドイツの環境対策は、政権に加わった緑の党の影響力が強くなり、それは連立の合意書にも表れている。

たとえば、長期的には２０４５年にカーボンニュートラルを実現することが決まっているが、合意書によると、石炭火力の廃止をこれまでの２０３８年から２０３０年へ前倒しするという。と同時に再生エネルギー比率を65％から80％へ高める、さらに電気自動車（ＥＶ）を１５００万台に増やすという大胆な提言をしている。実際にこれが実現可能かどうか、危惧する産業界の見方があるが、ドイツの新連立政権が環境政策へ舵を切ろうとしていることは明らかである。ただし、緑の党は財源確保のために、やむなく「炭素税」という増税を提案しようとしている。だが、実際にドイツ国民が生活に直結する税負担をやすやすと承認するとは考えられない。今後、新政権発足後、環境か増税かで激しい論争が展開されよう。

以上が新連立政権が予想していた、近未来への展望である。ところが「一寸先は闇である」といわれるように、新政権はロシアのウクライナ侵攻という、未曽有の難局に直面することになる。ドイツでもエネルギー政策において、前政権のロシア依存型から「脱ロシア型」への対応を余儀なくされるのである。冬を迎えるドイツはとくに、厳しい正念場を乗り切らねばならない状況に置かれている。

（浜本隆志）

9

ドイツのカーボンニュートラル

★エネルギー政策の転換★

直面するドイツのエネルギー問題

ベルリンないしドイツの環境政策を考える際に、ドイツのエネルギー問題の現状を把握しておかなければならない。とくに2022年2月のロシアのウクライナ侵攻によって、エネルギー問題はEUだけでなくドイツにとっても、計画の大転換を余儀なくされた。この問題に入る前に、まずドイツの直近のエネルギー事情を確認しておこう。

2021年のデータ（図9－1）によると、再生可能エネルギーは風力がトップであり、畜産、林業が盛んなドイツではバイオマスも有望視されている。これまで力を入れてきた太陽光発電は、自然エネルギーとして貢献してきた（2019年には10％程度）が、日照時間が不安定なので安定供給という意味では今後あまり期待できない。その点、同じ自然エネルギーとしての風力発電は、偏西風のおかげで期待が持たれ、洋上発電が盛んである。

他方、問題の原発は2022年を目途に全面廃止が決まっていたけれども、ウクライナ情勢によって、エネルギー危機を乗り切るために再延長は必至の状況にある。これまでもっともC

Ｏ２を排出する褐炭、石炭エネルギーは、削減を迫られているものの筆頭であった。その代替として注目されていたのが、25・6％を占めている天然ガスである。ところが頼みの天然ガスはロシアからの供給に赤信号が灯ったので、大きな見直しを迫られた。

　では天然ガスとはどういうエネルギーであろうか。これが完全にクリーンなエネルギーかといえばそうではないが、他の化石燃料と比較をすればCO_2排出量が少なく、環境に優しいということである。CO_2排出試算には採掘、輸送、燃焼などトータルなコストの計算に拠らねばならないので複雑であるけれども、総論的には天然ガスは比較的クリーンなエネルギーと位置付けられている。ドイツが天然ガスに固執したのは、褐炭や石炭火力発電が大量のCO_2を排出するので、前述のようにその代替としてのエネルギーを求めていることと、原発からの撤退、さらに不安定な太陽光発電を補完する意味においてであった。

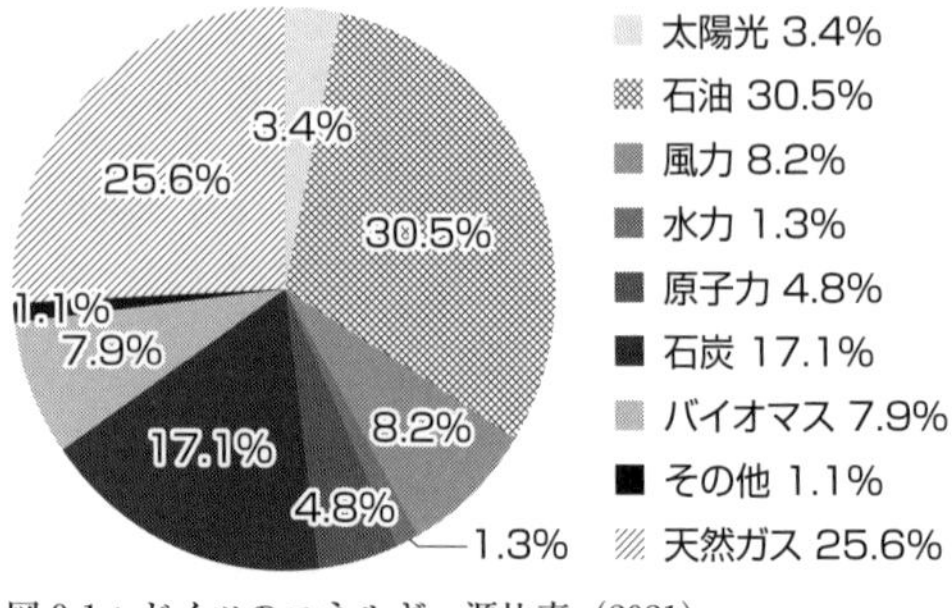

図 9-1：ドイツのエネルギー源比率（2021）

天然ガスと外交問題

ドイツの天然ガスは大部分を輸入に頼っている。輸入先はこれまでロシアがトップで約55％を占めていた。対ロシアの天然ガスはパイプライン経由であり、これには陸上ルートと海上ルートがある

（図9－2参照）。2021年秋から話題になったのは、ロシア産の天然ガスの陸上ルートのうち、ベラルーシ、ポーランドを経由する陸上ルートである。当時、別件の移民問題をめぐるトラブルが原因で、ベラルーシのルカシェンコ大統領は、自国を経由している天然ガスパイプラインを止めるという「恫喝」をした。これはEUやドイツが独裁的なベラルーシに対して、経済制裁をしているという背景もある。

しかしEUやドイツは、ベラルーシと天然ガス問題で揉めているだけではない。ご承知のようにルカシェンコ大統領は、移民問題に介入し、中東から移民希望者を集めてポーランド、リトアニア国境へ移送させるという「奇手」を使って、EUに揺さぶりをかけてきた。そのためEUは移民問題を政治的目的に用いていると非難し、ベラルーシに経済的制裁を加えたのである。さらにその背後にいるロシアの政治的・軍事的力学が、この問題に作用しているのは明らかだ。すなわちこれには、EUの東方拡大問題や北大西洋条約機構NATOとロシアの旧ソ連圏の軍事問題も絡んでいるので、複雑な外交課題を内包しているのである。

さらに2022年のロシアのウクライナ侵攻以前における、ドイツとロシアの天然ガスパイプラインの状況を説明しておかねばならない。両国には、陸上ルート以外にノルド・ストリームというバルト海経由の2本の海底ルートがある（図9－2）。これをめぐっては、アメリカは安全保障のために従来からこの計画に難色を示してきたし、とくにトランプ大統領は明確な反対を表明していた。その後、バイデン大統領になってから少しずつアメリカの態度は変わり、2021年5月にようやくこれは容認された。その2本目も2021年9月に完成したところであった。ドイツにとってやっと安堵した

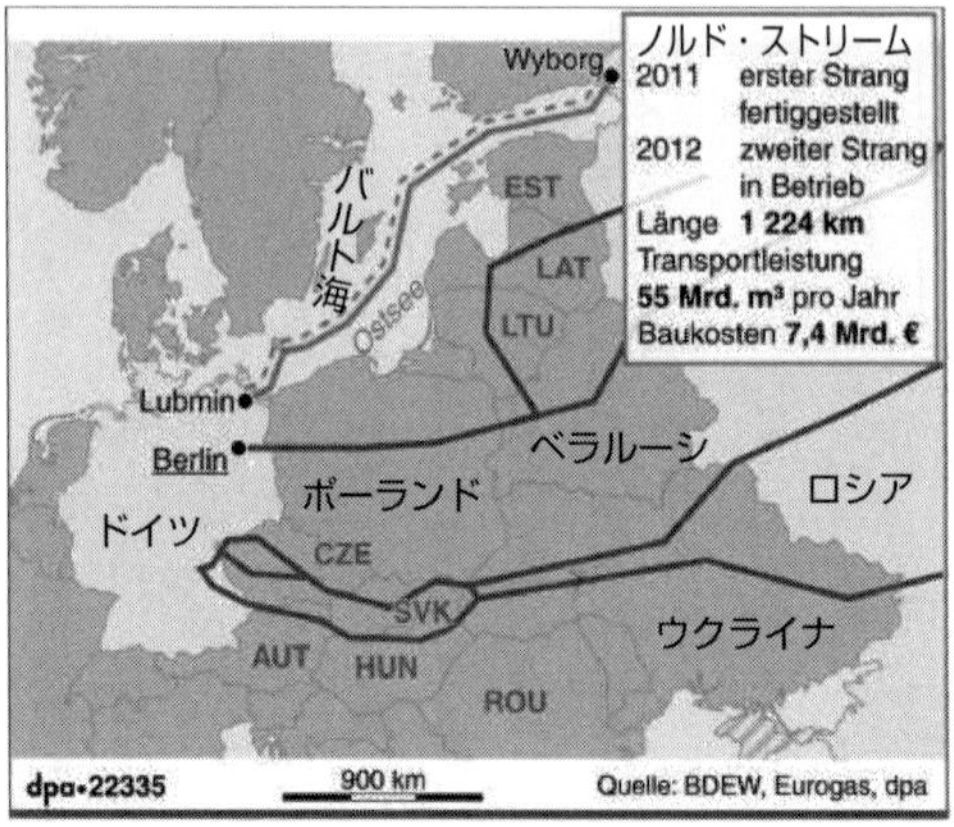

図9-2：ロシア・ドイツの天然ガスパイプライン（陸上ルート、海底ルート）

のもつかの間、ロシアのウクライナ侵攻によって、これまでの構図が根底から覆されてしまった。

この問題について緑の党のベアボック外相は、第2ノルド・ストリーム（図のバルト海の点線ルート）それ自体を容認しないとこれまで発言してきた。しかしショルツ首相は、ロシアからの第1ルート（図のバルト海の実線）を含むロシア産の天然ガス輸入について、禁輸する決断を保留している。その代替の見通しが立たない状態で、ただちに禁輸をすれば、急激なエネルギーコスト高に見舞われるからである。

他方、世界の天然ガス生産量第3位のロシアにしてみれば、西側の国との天然ガス輸出の代金は喉から手が出るほど欲しい。ドイツにしてみても、石炭、とりわけ褐炭のCO2排出をクリアするために、また、予定されている原発停止のために、天然ガスはどうしても手に入れたい燃料であった。ドイツはその代替として、原発再稼働だけでなく、石炭火力発電の廃止延長すら議論が始まっている。ロシアのウクライナ侵攻は、軍事や政治問題だけでなく、世界のエネルギー問題やカーボンニュートラルに大きな影を投げかけているのである。

（浜本隆志）

10

電気自動車（EV）へのシフト

★自動車王国ドイツの決断★

巻き返しを図るドイツ車

パリ協定の採択を受けて、２０２１年にイギリス、グラスゴーで開催されたCOP26でもカーボンニュートラルが確認された。ＥＵは、２０３５年にはガソリン車（ハイブリッド車を含む）の販売を禁止する宣言を出している。近年まで電気自動車はアメリカ、中国が独走していた。そのあとを日本の日産のＥＶ、トヨタのハイブリッド車が続き、ドイツはこれらの後塵を拝していたという構図が定着していた。

ところが２０１０年代後半になると、ＥＶ車の台頭によってドイツ得意のガソリン車、ディーゼル車が売れなくなってしまった。危機感を持ったフォルクスワーゲン、メルセデス・ベンツ、ＢＭＷ、アウディの各社はその劣勢を挽回するために連携をとって政府に働きかけ、巻き返しを図った。具体的に政府は補助金政策、インフラ整備に力を入れ、ＥＶシフト化への政策転換に踏み切った。その結果は図10－１のデータが示しているといえよう。もちろんこれは２０２１年の第１四半期というピンポイントの結果にすぎないが、先発のアメリカ、中国の中へドイツ勢が割り込んでいる状況が読み取れよう。ここにも方

順位	企業名	国籍	1Q販売台数	前年同期順位	順位の変化
1	テスラ	米国	184,500	1	±0
2	上汽通用五菱汽車（SGMW）	中国	102,074	4	△2
3	BMW	ドイツ	66,494	5	△2
4	フォルクスワーゲン	ドイツ	59,732	2	▲2
5	比亜迪（BYD）	中国	53,608	3	▲2
6	メルセデス・ベンツ	ドイツ	52,145	6	±0
7	ボルボ	スウェーデン（親会社は中国）	46,856	8	△1
8	上海汽車（SAIC）	中国	42,460	10	△2
9	アウディ	ドイツ	33,845	9	±0
10	長城汽車（GW）	中国	30,730	16	△6
11	プジョー	フランス	28,778	13	△2
12	ルノー	フランス	28,551	7	▲5
13	起亜自動車	韓国	28,126	12	▲1
14	トヨタ自動車	日本	22,391	17	△3
15	上海蔚来汽車（NIO）	中国	20,564	20	△5
16	現代自動車	韓国	19,796	11	▲5
17	フォード・モーター	米国	17,891	圏外	−
18	広州汽車（GAC）	中国	17,770	15	▲3
19	日産自動車	日本	15,508	14	▲5
20	奇瑞汽車（Chery）	中国	14,306	18	▲2

図 10-1：2021 年第 1 四半期 EV/PHV 世界販売ランキング

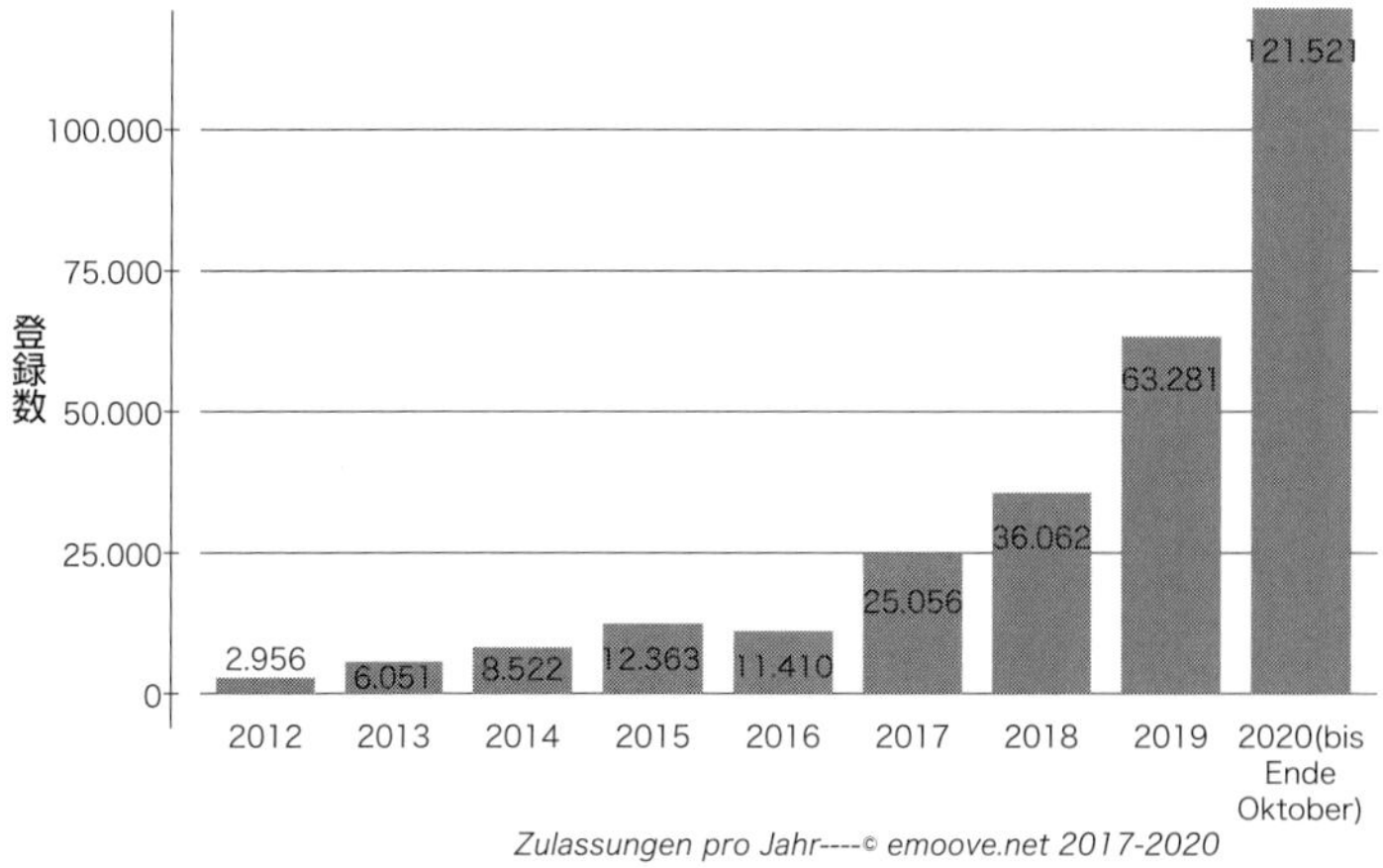

図10-2：ドイツのEV登録数（2012 － 2020、10月）

針を決めると徹底的に突き進んでいく、ドイツ的徹底性（die deutsche Gründlichkeit）が認められる。まず近年のドイツの電気自動車登録数の傾向によっても、ドイツ国民の中で電気自動車への転換が急速に行われていることが読み取れよう（図10－2）。現在、２０２１年後半ではＥＶ車は、ドイツでは全車種の２割後半を占め、３割に近づくほどに増加している。

これまでヨーロッパの電気自動車の販売数は、先述のようにアメリカ、カリフォルニアのテスラ社の独壇場であった。その勢いを駆って、テスラ社は電気自動車の工場をドイツのベルリン近郊（ブランデンブルク州）で建設した。その間、方向転換をしたドイツの自動車メーカーは電気自動車でも、国内販売ではフォルクスワーゲン、メルセデス・ベンツ、ＢＭＷなど、ドイツのメーカーがトップから4位までを奪還するようになった。またこのベルリン近郊のテスラ工場建設をめぐっては、ドイツとアメリカ間で環境問題を含めて確執や訴訟もあったが、２０２２年にはテスラは稼働にこぎつけたようである。このドイツ、アメリカ、中国の電気自動車「戦争」は、世界の覇権と連動しているような様相を呈してきた。

なお日本の日産、トヨタ（上記データにはトヨタ方式のハイブリッドを除外していることに注意）、三菱の電気自動車（プラグインを含む）は、２０２１年には残念ながら世界のトップテンからすでに脱落している。何が問題であるのかはドイツの事例から読み取れよう。すなわち政府の環境政策やメーカーのカーボンニュートラルに対する軸足の曖昧さ、ＥＶ充電ステーションのインフラ整備の不足、ＥＶ先進国に比べると補助金の少なさ（２０２２年度には倍増計画があるが、予算枠がなくなれば打ち切るなど）にある。グローバル化した時代においては、時代の動向を読み取り、明確な方針を出して官民一体で取り組まないと、一企業の努力による対抗策では、「ＥＶ戦国時代」に太刀打ちできないという現実を直視すべきである。

ドイツＥＶ車席巻の理由

ドイツの電気自動車普及について触れたが、もう少しこの問題に立ち入っておこう。これには２つのファクターがあって、ドイツ政府が電気自動車購入者にボーナスというインセンティブを与えたことと、もうひとつはベルリンを始め都市部の充電ステーションを重点的に設置したことが挙げられる。ただしこの補助金の場合、ハイブリッド車の扱いが多少ややこしい。ハイブリッド車にも2種類あって、プラグインハイブリッド（ＰＨＶ）という外部電源充電方式と、通常の内燃エンジンを搭載したハイブリッドがあり、補助金は前者のみということである。

ドイツの補助金制度は２０１６年から始まったが、現在、たとえば4万ユーロ（約５６０万円）までの車には、政府が３分の2、メーカーが３分の1の合計９０００ユーロ（約１２６万円）を補助し、コロナ禍においてさらに19％から16％に消費税率を軽減している。この制度はカーボンニュートラルという追い風もあって好評で、財源は２０２４年分まで確保されているが、財源がなくなり次第終了するという。

ただ電気自動車普及の最大のネックは充電ステーションのインフラである。政府のドイツ経済省は特別の重点措置として25億ユーロの予算を計上し、高速充電スタンドを２０３０年までに3万基設置するという。ＥＵ内でステーションのインフラがもっとも進んでいるのはオランダ、ルクセンブルクで、ドイツは上位を占めているが、南欧などはほとんど整備されていないため、ＥＵ内をＥＶ走行する場合には国や地域内で大きな差がある。繰り返すが、電気自動車普及には官民連携とグローバルな視点が重要である。

（浜本隆志）

11

スマートシティ・ベルリン

★都市インフラの具体例★

スマートシティとは

近年、スマートシティというキーワードが各国の都市計画のトレンドとなっている。この概念は幅広いが、一言でいえば最先端技術ＩＴを駆使した「持続可能な都市づくり」ということになろうか。カテゴリーは環境、都市交通、インフラ、産業、医療サービスにまたがるが、もっとも目につくのは、ベルリン市（州）も前述のように２００６年から２０５０年をめどに、カーボンニュートラル（ＣＯ２排出量、削減量ゼロ）を打ち出した点である。この政策においても、モビリティ、エネルギーソリューション（内容は次ページ参照）という発想がその中核になろう。ここでは、ベルリンにおけるこの問題に踏み込んでみたい。

カーボンニュートラル政策は社会のデジタル化と密接にかかわっている。といってもＥＵ単位でみた場合、ドイツがデジタル社会の中で先端を走っているわけではない。総合的なデジタル化指標として、ヨーロッパコミッションが発表しているデータがある。これは①Human capitalという「人的資本」、②Connectivityという「接続性」、③Integration of digital

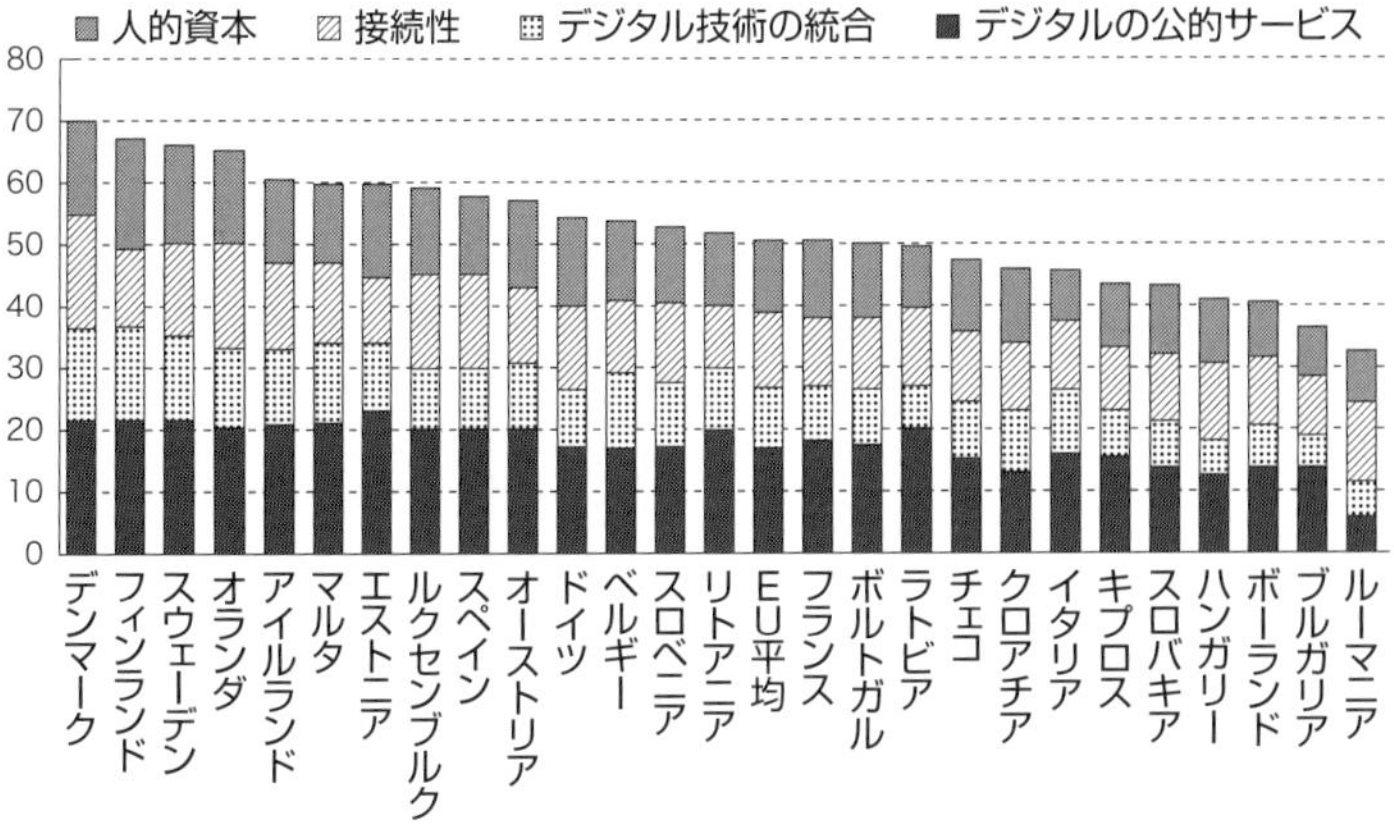

図 11-1：EU 各国の社会のデジタル化指標（2021）

technology という「デジタル技術の統合」、④ Digital public services という「デジタルの公的サービス」の総合評価によって、ランクづけが行われている。図11－1を見てみよう。

　最新の2021年のデータをみても、EUでは北欧の比較的小さな国が指標では先頭集団を形成し、ドイツは11位、そのあとを東欧や南欧の国々が続いている状況が分かる。ドイツは、デジタル化においてはどちらかといえば保守的で、現金決済や官僚機構も健在であり、これらがデジタル化を阻害しているという見方がある。それでも政府や企業、自治体はデジタル時代に対応すべく、それぞれの立場で取り組みを始めており、問題はその有機的関連性である。

　ここでは都市モビリティ（MaaS：Mobility as a Service）とエネルギーソリューション（Energy Solutions）を最初に採り上げよう。まず都市モビリティの中身としての MaaS は細分化すれば多様であるが、ベルリンではドイツ鉄道（日本のJRに類似）、スマートフォン、市交通局が主導する、交通網という分野にMaaSを導入するというアイディアがある。ベルリンは公共交通が発達しているが、MaaSを合理的に導入すれば、従来のようにチケットを買う必要がなくなり、簡単に交通機関を利用できるメリットがあるからだ。これはさらにモビリティカードを利用して鉄道、レンタカーなどの有効利用を促進させるシステムに展開できる。その結果、以下のような変化が生じている。

1、自動車所有のメリットがなくなるという現象。
2、ベルリンではレンタル電動自転車の普及が加速。
3、タクシー業界の衰退という現象。

これらは前述のカーシェアリング、ＥＶ化、移動手段の合理化と密接にかかわる現象であるが、都市交通の構造変化を促進する作用がある。都市は歴史的に、このような構造変化を繰り返して発展してきた。

次にエネルギーソリューションについて都市づくり全体からみれば、対象は太陽光発電などが多くを占めるが、小さなものとしては街灯もＬＥＤを使った防災用のものが重要である。それは都市の安全と快適さの両方に資するものである。ベルリンでは太陽光発電と、ＥＶの充電を結び付けたプロジェクトが試みられている。充電システムはいろいろあるが、市街地の充電スタンドはいうにおよばず、ベルリンでは街灯を利用した簡易充電器も話題を呼んでいる。

従来型の都市インフラのうち、とりわけ自転車道の整備については日本ではほとんど話題になることがない。採り上げても現状では手の施しようがないからである。日本では１９７０年の道路交通法の改定により、これまで自転車は軽車両として車道走行であったのが、例外として歩道走行も容認された。これは日本の都市では自転車専用レーンの整備は困難であるという事情から考え出された苦肉の策であった。それでも現実には歩道や車道走行で自転車による事故が多発し、抜本的な対策はないという日本の実情がある。

図 11-2：自転車専用道路

とはいえ、ベルリンやヨーロッパの事例をみておくのも、今後の都市計画の参考になるはずである。ヨーロッパの自転車の普及は、とくに平坦地の多いオランダで顕著であるが、ベルリンも同様な地形である。とりわけ自転車レーンが整備されていることが、日本との大きな違いである。道路でも歩行者用、自転車利用者用、車輌用と合理的に区分されているが、図のように、ドイツでは自転車道は色分けされていることが多い。

これにはヨーロッパ文化の体系化が深くかかわっている。ヨーロッパには図書の分類法、リンネの分類学、哲学のカテゴリーなど、合理的に分類・整理するという発想があるが、この問題と道路の目的別区分を結び付けるのはうがちすぎの見解だと批判されるかもしれない。しかしそもそもキリスト教自体に、神があらゆるものを区分して創造した、とされている。それに対し、日本には曖昧な文化があり、あえて明確に区分しないという発想がある。もちろん筆者がいっているのは、日欧の文化の優劣ではなく発想の違いである。

（浜本隆志）

12

ベルリンの屋上緑化と街路樹

★期待される効果★

都市空間の緑化ポリシー

環境保護に熱心なドイツでは、都市空間の緑化にもポリシーを持っている。新たに建物を建てるとき、たとえばベルリンでは、「ベルリン自然保護条例」（Berliner Naturschutzgesetz）によって、緑の空間を設けることが「義務化」される。しかし、これは私権を制限することになって強制や命令はできないので、「要望」ということになる。だから役所は補助金を交付して、インセンティブを設けて政策を実現しようとする。多くは屋上の緑化が目標となるが、夏が高温に見舞われる都市では建物をコンクリートで固めてしまうと、夏場ではヒートアイランド現象によって都市の温度を上昇させてしまう。ただしベルリンの場合、屋上緑化は自然環境保全のためという目標以外に、もうひとつ別の理由がある。

ドイツの大都市の場合、大量の雨が降ると一挙に下水道に雨水が流入し、水が溢れるという問題を抱えている。その点、都市洪水を何度も経験してきた日本の東京、大阪などの大都市では、地下に一時的な貯水池や排水装置を設けているので、ドイツのような心配は少ない。ベルリンでは屋上緑化は、芝や植物、土に雨水を一時的に保水させて洪水を防止するという目的も併せ持っているのである。したがってドイツでは、景観は第二義的で実質的な目的を重視する傾向が強い。

ドイツの屋上緑化は、このような切羽詰まった現実的な事情もあったとはいえ、もちろん緑による都市環境の保全という役割も重要である。それは「緑の党」の影響もあり、１９７０年代から本格的に始まった。私権に抵触する壁を乗り越え、費用に対する50％の補助率という極めて大胆な大盤振舞いの補助金政策によって、屋上緑化はドイツ全体で毎年１０００万㎡ずつ増えている。それは実際には、セダムという乾燥に強い多年草の植物を植える方法で実施されているが、これは種類も多く管理が容易で、植え方次第では多様なデザインも生み出せるからである。

屋上緑化施工例

屋上緑化にも問題点がある。屋上はフラットなものだけでなく従来型の傾斜勾配のある屋根もあるし、駐車場、あるいはアスファルト、コンクリート部分もある。そのため土地利用形態によって、ＢＡＦ（Biotope Area Factor）、ドイツ語ではＢＦＦ（Biotopflächenfaktor）というマニュアルを作って数値化を図ることが行われている。ただし、ここでは施工例として、本題の都会型のフラットな屋上緑化について簡単に述べる。図12－1は施工例を示すものであるが、セダム（野草の一種）、土、ポリウレタンなどの保水層、防水層という多重構造になっている。屋上であるから、とくに防水にも十分な目配りが必要だ。

ドイツではセダムや小灌木を植えるだけでなく、さらにビルの屋上を菜園化したり、レストランに

図12-1：屋上緑化の仕組み

図12-2：屋上緑化例

併設した目の前の菜園の野菜を提供する店、あるいは淡水魚を養殖したりしているところ、屋上をビオトープ化している例などがみられる。もちろんソーラーパネルの並置も重要な環境政策である。屋上緑化には多様な副次的利用方法があるが、やはり一番は環境保全という面を考えての屋上緑化やソーラーパネル化である。

この章のテーマとかかわる最近の話題として、ベルリン州の「環境・交通・温暖化防止省」が、「1000の屋上緑化」というプロジェクトを立ち上げた具体例を採り上げたい。なおここでいう州とは日本でいう市にあたり、ベルリン、ハンブルク、ブレーメン（ブレーマーハーフェンを含む）は州と同格で、他州とほぼ同じ権限を持つ。ドイツ連邦国は制度上からも地方分権国家（第47章参照）で、その上の連邦議会は国防や外交、通貨、関税などを統括するが、それ以外の多くの権限は州が担い、州議会に首相や大臣もいる。日本の文科省にあたる部門も、連邦ではなく州に委ねられている。

このような地方分権制であるから、環境問題も直接的には州が担当する。ベルリンの「環境・交通・温暖化防止省」は、2019年8月21日から2022年12月末という期限を区切って、前述の「1000の屋上緑化」プロジェクトを推進している。すでにベルリン州は560のサッカー場の広さ分、すなわちティーアガルテン公園（210ヘクタール）より広い面積の屋上緑化を実現してきたが、さらに未来のために屋上緑化を推進しようとしているのである。ドイツ人のプロジェクトの特色は、期限を区切って実現可能な計画を立て、それを貫徹しようとするところにある。

ベルリンの街路樹

ベルリンの街路樹ベスト5は　リンデ（菩提樹）、メープル、オーク、プラタナス、チェスナット（栗）である。これはリンデやチェスナットを除くと、日本の都市でも一般化した街路樹である。なお東京ではハナミズキ、銀杏、桜、トウカエデ、ケヤキ（東京都建設局）となっている。プラタナスは落ち葉の始末に苦情が殺到するので、現在では圏外に落とされた。日本では過剰な深剪定をして本来の緑化を逸脱する傾向がないとはいえない。

ベルリンのメーンストリートに有名な「ウンター・デン・リンデン」がある。いわずと知れた「菩提樹の下通り」という意味であるが、この道路が建設されて菩提樹が植えられたのは1647年というから、歴史は古い。ティーアガルテンから王宮を結ぶ道路として建設された。ブランデンブルク門から王宮まで約1・5キロメートル、幅60メートルの道路に沿って、遊歩道付きの大通りは、ベルリンの近代史では、森鷗外の『舞姫』の舞台のひとつとして、さらにはヨハン・シュトラウス（初代の孫）のワルツにも取り上げられた。

ドイツの樹木信仰は古代ゲルマン時代から中世にかけて継承され、リンデは聖なる木として、その下で神明裁判（神が正邪の判決を下す裁判）が行われてきた。ゴシック大聖堂が森の代替であったように、人びとは森へのノスタルジアに駆られて、樹木を神聖視した。ただ中世では城郭が迷路のようになり、都市においては街路樹は軍事的にはほとんど重要視されなかった。それがクローズアップされるのは、都市に馬車、自動車が直線上に走るようになった近代からである。ヨーロッパの近代都市は軌を一にするように都市改造を行い、道幅を広げ、直線化していった。ウンター・デン・リンデンも、その流れで生まれたのである。

近代では、都市化の中で自然が失われていくと、ベルリンは殺風景な建物と石畳だけになった。都市に本物の自然を再現させるという意味において、ベルリンの人びとは街路樹の重要性に目覚めた。まさしく市民は、心のふるさととして街路樹に特別の想いを込め、街路樹を大切に育て、都市緑化を目指すようになったのである。

（浜本隆志）

図12-3：ウンター・デン・リンデンの遊歩道

13

ベルリンの公園、都市再整備

★自然を感じる大都会★

ティーアガルテン

ベルリンの壁崩壊の象徴ともなったブランデンブルク門。その門の西側に幅3キロ、奥行き1キロ、およそ210ヘクタールもの広大な敷地を誇る公園、ティーアガルテンが広がっている。中にはビスマルクを始め、多数の偉人の銅像、さらにはベルリン動物園などもある。

ここには図13－1でも確認できるように、中央に女神ヴィクトリア像をシンボルにした戦勝記念塔が建っている。これはプロイセン王ヴィルヘルム1世によって、「プロイセン・デンマーク戦争」、「普墺戦争」、「普仏戦争」の勝利を記念して、帝国議会議事堂前に建てられたものであったが、ヒトラー時代に「ゲルマニア構想」の一環としてここに移されたというエピソードも残る。

ティーアガルテンはかつてプロイセン王家の狩猟場だったことでも知られているが、17世紀末に選帝侯フリードリヒ3世がこの広大な森を「市民のための公園」にした。1833年から38年には、当時有名な景観設計者ペーター・ヨーゼフ・レンネが英国庭園に造り直したという歴史を持つ。都市当局が緑化計画によって新たに公園を造る場合、土地取得に大きな困難をともなうケースが多いが、その意味では広大な土地を公園化した先人の見識に敬意を払いたい。

ヨーロッパではこの種の公園が多く、パリのブローニュの森も王侯の狩猟場から市民の公共公園になった。これらは時代が貴族社会から市民社会へ変貌してきたことを表す。とりわけベルリンの場合、ティーアガルテンは急速な都市化や人口増の「緩衝帯」の役割を果たした。ベルリン市内に浮かぶ大きな島のようなティーアガルテンだが、この公園もベルリンの歴史とともに変遷を経てきた。

図 13-1：ティーアガルテンと中央の戦勝記念塔

ティーアガルテンは、第二次世界大戦中に何度も大きな被害を受けた。とくに戦争末期におけるベルリン中心部での戦闘は、公園にとって壊滅的なものだった。戦後は、薪を求めるベルリン市民によって公園の木がほぼすべて伐り倒されてしまった。1949年に始まった公園の再整備は、ドイツの他の都市からの木の寄贈でしか行うことができなかった。それでも人びとは粘り強く公園を造営していった。

西ベルリンがベルリンの壁で囲まれていた時代には、ティーアガルテンはその冷戦の閉塞感を払拭する市民の憩いの場所として、大きな役割を果たした。ベルリンには2500以上もの公園や児童公園があるが、中でも特徴的なのが壁崩壊後に整備された公園がいくつもあるということだろう。壁の建設によって立ち入り禁止の緩衝地帯だった場所や、再統一後に使用されなくなった空港跡などが、市民の憩いの場所として新たに生まれ変わっている。これらを2例挙げておこう。

「壁公園（マウアーパーク）」

ベルリンらしい公園として「壁公園」(Mauerpark)を採り上げたい。名前の通り、この公園にはベルリンの壁が一部残されている。場所も旧東ベルリンだったプレンツラウアー・ベルク地区と、旧西ベルリンのヴェディング地区との境に位置している。現在の壁公園は週末になると観光客や地元民で溢れかえる。あまりにも人出が多くなったので、正直なところ最近は足が遠のいてしまっていた。

いつ頃からだろうか。週末にはここでカラオケ大会が開かれたり、ストリートミュージシャンやパフォーマーが登場したりして賑わうようになった。移動式のサウンドシステムを携えて２００９年に「ベアーピット・カラオケ」(BEARPIT Karaoke)を始めたのはジョー・ハッチバンさん。円形劇場がステージになっており、大勢の前で誰もがパフォーマンスを行うことができるというものだ。しかし、それも近年は住民の層が変わってきているからだろうか、苦情が出て一時はイベントが禁止される方向だった。

そこで「マウアーパーク文化共同体」(Kultur Gemeinschaft Mauerpark)などを筆頭に住民、区代表が円卓会議の場を設け、長期にわたる議論の末、壁公園の利用に関するルールが決められた。その結果、石畳の歩道沿いと円形劇場のみで演奏することができることになった。月曜日から木曜日は午前11時から夕方の19時半まで。週末や祝日は11時から20時半まで演奏が可能だ。公園のマップには音楽

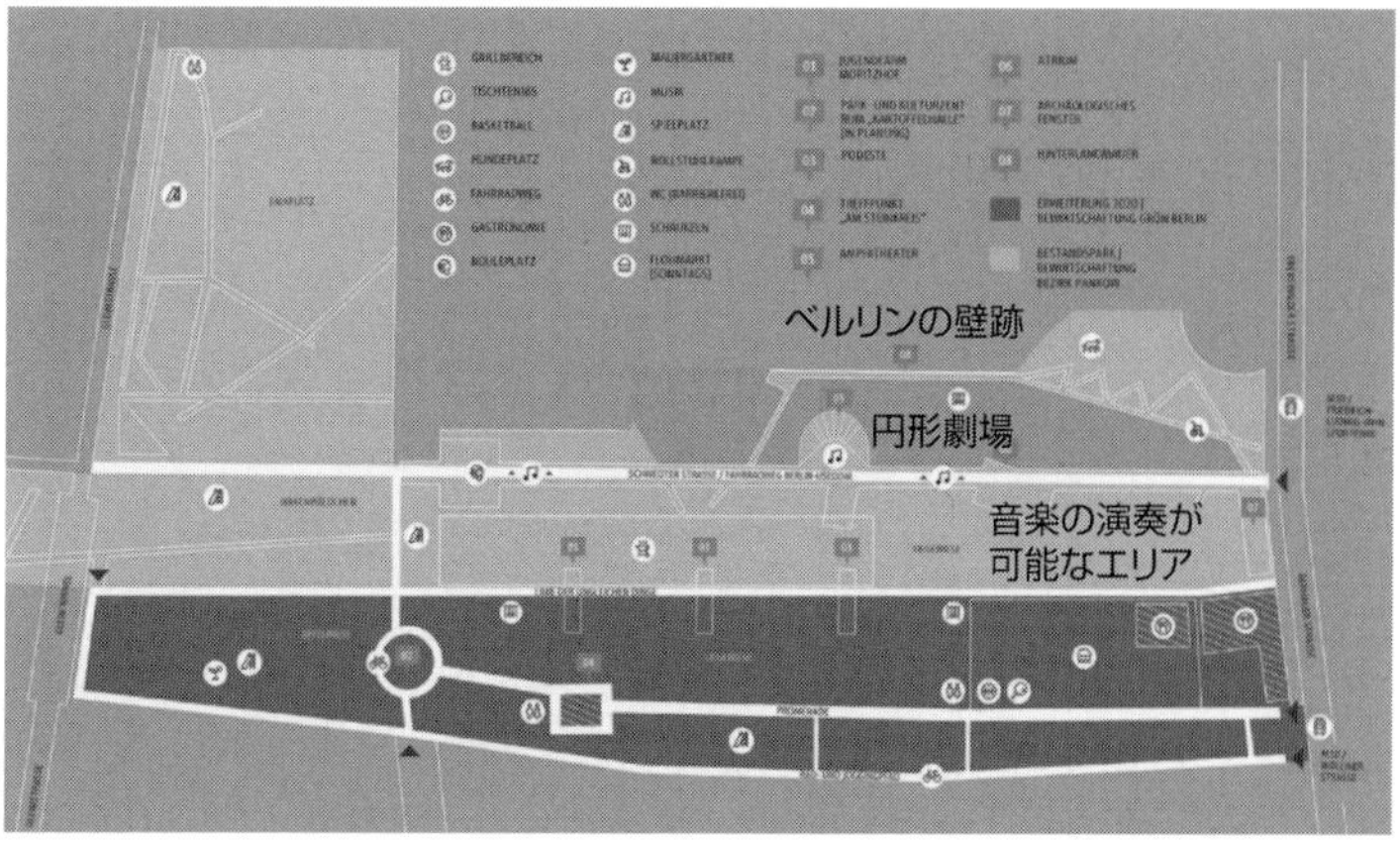

図13-2：ベルリンの壁跡の「壁公園」

の演奏ができるエリアが音符で表示されている。その他、ドッグラン、グリル、フリーマーケット、グラフィティ（以前には「ベルリンの壁」、とくに緩衝地帯を挟む2つ目の壁だった場所）など、使用場所が細かく指定されている。

最近のベルリンでは、壁公園に類似した騒音問題のケースが続出しており、文化を創造する場所としてのベルリンの魅力がどんどん下がってきている印象を受ける。この流れの中、壁公園のカラオケ大会などを許容する方針を打ち出したパンコウ区の決定は喜ばしいことだといえるだろう。この決定は、壁公園の市民団体「壁公園を守れ」にもポジティブに受け入れられたようだ。壁公園に関連する活動グループの数にも驚かされる。とくに「壁公園フレンズ協会」(Freunde des Mauerparks e.V.)は、1999年から壁公園の整備・実現を促進する市民団体として活動している。

2021年9月にはパンコウ区役所と「壁公園フレンズ協会」によって、移動式防音シェルターが設置された。近隣の住民への配慮と文化的多様性を促進するための解

図 13-3：空輸作戦下のテンペルホーフ空港

決策である。このようにベルリンの公園は市民参加型でデザインされるケースが多く、より市民生活の中で重要な位置を占めているといえよう。

テンペルホーファー・フェルトの再整備

旧テンペルホーフ空港の跡地を利用して作られたテンペルホーファー・フェルト(Tempelhofer Feld) も、都市再整備例のひとつだ。テンペルホーフ空港はベルリン中心部にあるが、第二次世界大戦後の冷戦下に「ベルリン大空輸」の舞台となった場所である。１９４８年にソ連がベルリン封鎖を繰り広げ、それに対抗してイギリスやアメリカなどの西側陣営が空輸作戦を行った場所が、テンペルホーフ空港というわけだ。陸のルートが絶たれてしまったので、生活物資などを空のルートから運んだのである。

そのような歴史を持つ空港も２００８年に閉鎖され、現在は空港の格納庫を利用してさまざまなイベントが開催されたり、滑走路などの敷地は公共の場所として再利用されたりしている。ここが、以

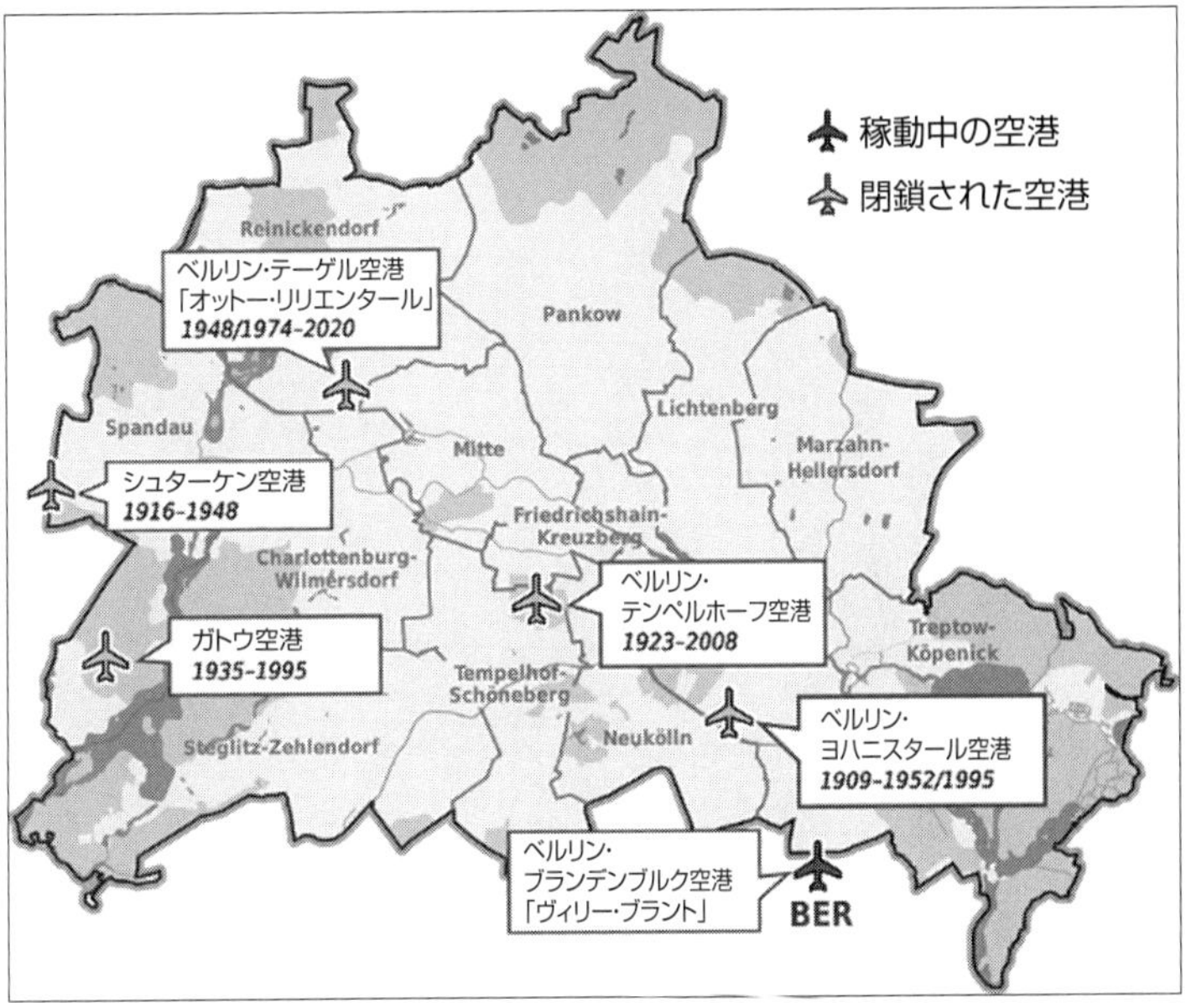

図 13-4：ベルリンの使用されなくなった空港跡地と新空港

前は軍事訓練に使用されていた区域だと思うと、非常に感慨深い。

テンペルホーファー・フェルトの総面積は３００ヘクタール以上におよぶ。前述のティーアガルテンがすっぽり入る大きさだ。跡地の予定されていた営利的建設計画が市民投票によって覆され、空港跡地の新しい利用方法が採択されたのが２０１４年のことである。この経験はベルリンの持つ政治的抗議の活発さや強固な市民社会であることを示し、多様なサブカルチャーを尊重する文化などもその背景にあることを窺わせている。

２０１１年10月のオープン以降は、2企業（Tempelhof Projekt GmbH, Grün Berlin GmbH）がベルリン市の環境・交通・気候保護局とともに、テンペルホーファー・フェルトの開発を促進するプロジェクトや、魅力的なレジャー・娯楽施設を創設した。また新しい起業・社会・文化のアイディアを実現するプロジェクトを募り、さまざまな企画が進行中である。２０２０年まで現役を務めたテーゲル空港の跡地がどのように生まれ変わるのかについても気になるところだ。２０２２年４月現在はウクライナからの難民受け入れセンターやコロナワクチンの接種会場として利用されている。

（希代真理子）

14

ベルリンのミツバチ

★自然との共生★

ヨーロッパのミツバチ

ヨーロッパにおけるミツバチの歴史は古く、その社会はキリスト教、紋章学、図像学とも深くかかわってきた。養蜂家がミツバチ文化を維持してきたが、通常、養蜂は蜜の原料である草花の多い田園地帯で営まれるものというのが常識であった。ところが都市化したヨーロッパでは、意外にも都会での養蜂が盛んであり、それは近年、地球環境の保持や生態系とのかかわりで話題になることが多くなってきた。ミツバチの文化が育んできた長いヨーロッパの歴史がその背景をなしているのはいうまでもない。

この傾向は日本でも同様であり、一部の人びとしか関心を払わないが、東京、大阪、地方都市などでの養蜂が静かなブームである。しかしヨーロッパと比較をすれば、ミツバチの文化の歴史的相違がその背景にあって、日本における都市の養蜂それ自体、モノ好きな人びとの「道楽」のように受け止められているのが実情である。しかしミツバチは日本でも、人間と都市との共生を考える上で極めて重要な問題を提起しているものといえる。ミツバチは生態系の一部を担い、自然、環境、都市という問題と密接にかかわっているからだ。この章では、生態系の視点からベルリンのミツバチを採り上げる。ＥＵの中でもドイツはハチミツ生産量がトップで、ハチミツ大国であることも付言しておきたい。

ネオニコチノイド系農薬問題

ドイツでは粗悪なハチミツの流入、流通を阻止するために、「ハチミツに関する法令」(Honigverordnung) が定められ、添加物を入れることを厳禁し、ミツバチの品質規制も厳しい。ヨーロッパでも有機リン系農薬に代わり、１９９０年代からネオニコチノイド系農薬が使用されてきたが、これはハチや昆虫の神経系統に作用することで知られ、とくに２００８年のミツバチの大量死が問題になった。ＥＵやドイツ連邦食糧農業省（ＢＭＥＬ）は２０１３年からネオニコチノイド系農薬のうち、イミダクロプリド、チアメトキサム、クロチアニジンの３種類の一時規制の取り組みを始め、２０１８年からこれらの野外使用が全面的に禁止された。

日本ではＥＵのこの問題の取り組みを受けて、２０１８年に暫定的に規制したが、対応が後手後手に回り、いまだに製薬会社が反論しており、規制を緩和しようとする動きがみられる。それは直接的に日本の養蜂家が少数であるからかもしれないが、そもそもネオニコチノイド系農薬が、農家にとって稲作のカメムシ防除に有効であり、簡便で省力化に役立つ便利な薬であるからだ。しかしその残留農薬がミツバチだけでなく、人間の胎児の神経系統に悪影響を与えるのではないかという危惧が払拭できず、ネオニコチノイド系農薬の安全性がいまだに議論されている。

ネオニコチノイド系農薬がＥＵで大問題になったきっかけは、大量のミツバチの死であったが、もともとヨーロッパでは養蜂家も多く、原料の草花、樹木の種類も豊富である。ドイツではハチミツはスーパーマーケットのコーナーだけでなく、青空市でも売り出されており、ハチミツ愛好家が多い。それは、日常生活でハチミツをよく利用する食文化と深くかかわっている。

ミツバチと生態系

日本とドイツのハチミツの消費量の違いは、食生活の相違点から生まれる。日本では、ハチミツを直接食べるというよりはケーキやお菓子に入れたりすることが多い。ドイツを始めヨーロッパでは、日本の使用方法以外に、パンに直接塗って食べる、ヨーグルトやミルク、紅茶やハーブティーに混ぜるという食べ方が一般的である。近年、ダイエット絡みで砂糖の摂取量による弊害が叫ばれるようになり、ますますハチミツ志向に拍車がかかってきた。

図 14-1：ハチミツ

ミツバチの生態は果実だけでなく草花の受粉にも大きく貢献し、ミツバチなくして生態系は成立しないということはよく知られている。最近話題になったことは、それを前提にしてベルリン大聖堂の屋上にミツバチの巣を設置したことである。さらにドイツ財務省、連邦首相官邸などで多くのミツバチの巣が作られている。２０１８年にメルケル首相や農業大臣たちがミツバチの住みやすい環境づくりを提唱した。それは都会のクラインガルテン（市民農園）、街路樹、公園の樹木においても当てはまる。カスターニエン、アカシアなどミツバチの好む樹の花もその構想に加えられている。

都市にミツバチが住むようになると、生態系が改善されるので環境問題の切り札になるが、ベルリンでは、初夏から夏にかけて、ミツバチの群れが野外テーブルの砂糖、ケーキ類を狙うことがある。ベルリンっ子たちは馴れたものであるが、事情を知らない旅行者たちは、パニックを起こすことがある。そのためハチの駆除を訴える人びとも出てくるし、たしかにスズメバチなどは危険であるが、養蜂家は、ミツバチは本来、人間に危害を加えることはないので大目にみてほしいといっている。（ハチを殺したり巣を壊したりすると罰金が科せられる）。それ以外では、都会での養蜂はメリットの方が大きい。そのため都会では巣箱は、屋上に設置されることが多い。

都市はむしろ農薬散布が少なく、遺伝子組み換え植物もほとんどない。ミツバチは本能的に人工的な花や植物を避け、寄り付かないという。都会で採取したハチミツは汚染されているという先入観を持つ人が多いが、実際にはそうではない。それはデータによって示されている。人間とミツバチはもともと共生してきたのだから、ミツバチは都市のあり方の一種のバロメーターであるといえよう。

ベルリンとミツバチの問題は、ピンポイントの環境問題ではなく、グローバルな広がりを持つ。地球温暖化、遺伝子組み換え、農業の危機、これらと密接にかかわる自然サイクルの一環として、持続可能な地球をつくるという広がりを持つものである。この切り口からも、都会とミツバチは人間に大きな環境問題を提起しているのである。

（浜本隆志）

III

生活都市ベルリン

15

ベルリンのベジタリアンとヴィーガン

★食生活の転換★

減少する肉食文化

これまでベジタリアンは菜食主義者という概念が定着していたが、ベルリンでも10年ほど前からヴィーガンという言葉を耳にするようになった。最初、ヴィーガンはまだヒッピーや食生活の少し変わった人たち、といったイメージを与えていたが、近年、ヴィーガンという言葉が市民権を得るようになった。ではベジタリアンとヴィーガンという言葉はどう使い分けられているのか。ベジタリアンは通常、肉や魚を排除するが、卵、乳製品、ハチミツの摂取は容認される。それに対してヴィーガンは卵、乳製品、ハチミツも摂取しない完全菜食主義者をいう。

ドイツの食文化のうち、まだ多くの日本人が脳裏に浮かべるソーセージも、実はここ数年間で年間消費量が減少傾向にある。ベルリン名物のカレーソーセージを売る街角のインビス（軽食スタンド）にさえ、ヴィーガン対応の「ヴィーガンソーセージ」を提供する店があるくらいだ。2021年3月には、ドイツにおける国民1人当たりの肉の消費量が、統計を開始した1989年以来、過去最低の数字だったというニュースが新聞紙面を賑わせた。「連邦農業情報センター」（BZL）が公表した

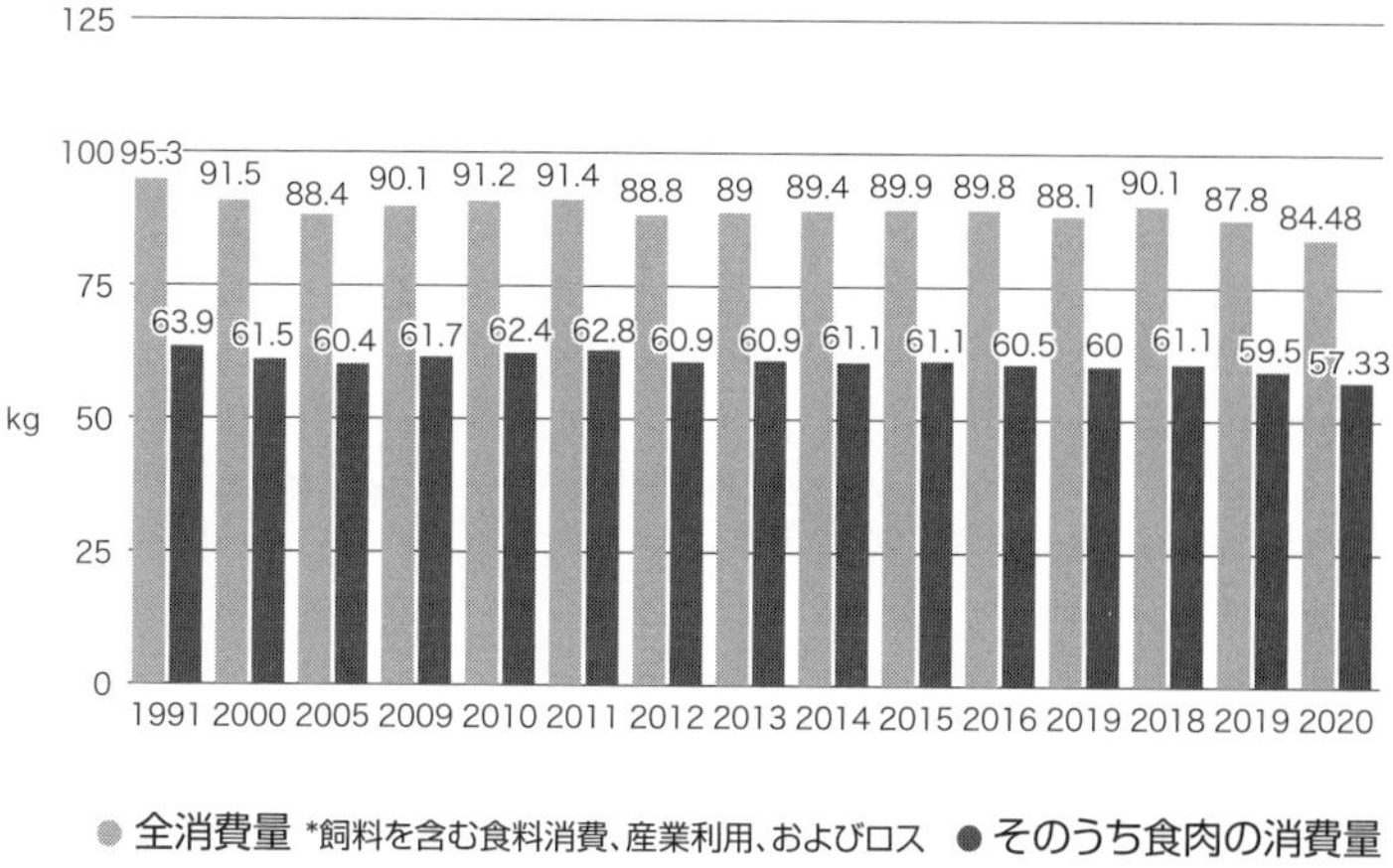

図 15-1：ドイツ人１人当たりの年間食肉消費量（2020）

数値を図15－1に示そう。

これによると、２０２０年の国民１人当たりの食肉消費量が年間57・３キログラムまで落ち込んだというのだ。２０１９年と比べると２１７０グラム減っていることになる。中でも豚肉の消費量の落ち込みが大きく、逆に増えたのは鶏肉である。コロナ禍の影響を受けて肉、肉製品、保存食品などの輸出入の割合も、２０１９年と比較するとそれぞれ輸入が７・８％、輸出が６・５％と目にみえて減少した。

増加するベジタリアンとヴィーガン

筆者の周りでも、ベジタリアンやヴィーガンだという人が年々増えている印象を受ける。ドイツの調査会社 IfD Allensbach によると、２０２０年度のドイツのベジタリアン・ヴィーガン人口は約７６０万人。２０１６年と比較するとベジタリアン人口は１２０万（+23％）、ヴィーガン人口は30万人（+38％）も増加している。

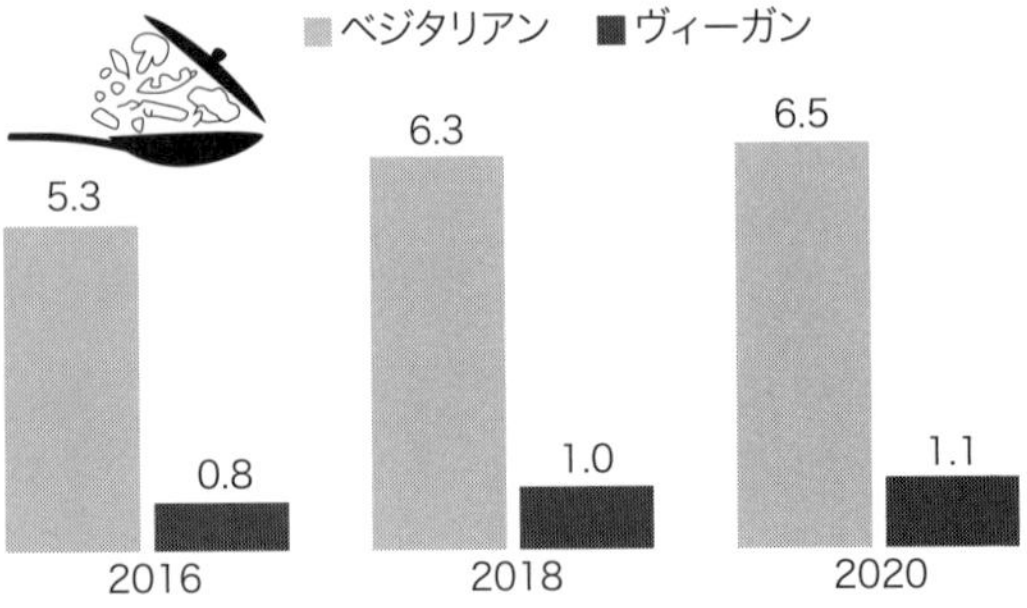

図 15-2：自分をベジタリアンやヴィーガンだと考えるドイツ人の人口（単位 100 万）

実際にベジタリアンやヴィーガンの食生活に切り替えた人たちに話を聞いてみると、その捉え方や考え方はさまざまで、肉や魚は食べないが卵は食べるという人から、肉や魚に加え卵や牛乳、ハチミツに至る動物性食品を一切口にしない人まで、実践の方法は千差万別であることが分かる。しかし、かれらに共通しているのは健康意識の変化だ。砂糖や乳製品、グルテンなど、食材に対する健康への懸念が食生活を変えるきっかけになっていることが多い。

こういった近年の消費者行動の変化にともない、ベルリン市内のスーパーやドラッグストアなどでも、普通にベジタリアンやヴィーガン向けの代替食品やコスメティック製品などが陳列されるようになった。欧州初のヴィーガン専用スーパーVeganzは、2011年の7月にベルリン市内に一足先にお目見えしている。現在は市内の3カ所で事業を展開中だ。ベジタリアン・ヴィーガンレストラン、カフェの選択肢も増える一方だ。

トレンドの背景にある健康志向、環境保護・動物愛護、宗教観

このある種のトレンドにもみえる流れを後押ししているもうひとつの要因として、健康志向と同時

に環境問題に対する市民の意識変革が考えられる。当時まだ16歳だったスウェーデンの環境活動家グレタ・トゥーンベリの抗議行動に連動し、ベルリンでもコロナ禍以前は毎週金曜日に生徒たちが学校を休んで、「Fridays for Future」（未来のための金曜日）と呼ばれるデモを行っていたことは記憶に新しい。環境問題に取り組む若年層にも、環境に優しく気候に影響をおよぼさない食への関心が高まっている。中でも注目されているのが代替肉やフェイクミートと呼ばれる「１００％植物性」の「肉もどき」がある。環境への影響が大きい肉を植物肉に置き換えることで、温室効果ガスを減らすことができるからだ。

図 15-3：Like MEAT の商品例：左が大豆プロテイン原料のシュニッツェル、右が豆プロテイン原料の焼きソーセージ

　このような代替肉の生産に携わるドイツのスタートアップが、２０１３年にデュッセルドルフに設立されたLike MEATである。Like MEATの製品はドイツ国内だけでなく、欧州各国にシェアを広げている。あわせて食のエコ需要の高まりで、市場規模としてのポテンシャルも拡大している。欧州委員会（ＥＵ）が２０１８年11月に公表した報告書によると、人が摂取する植物由来のたんぱく質の増加は、西欧・北欧を中心にＥＵ各地でみられるという。また、今後増加が見込まれるのは、食肉と牛乳・乳製品の代替製品市場であり、それぞれの年増加率は14%、11%となっている。

　さらに、動物に苦痛を与えないといった動物愛護や動物倫理の観点からベジタリアンやヴィーガンに食生活を切り替える人たちもいる。

その中でも興味深いのは、ムスリム（イスラム教徒）の若い世代でヴィーガン支持率が高まってきていることだ。作家でジャーナリストのヒラル・ゼッツギン（Hilal Sezgin）は、「わたしのベジタリアンやヴィーガンといった考え方は、イスラムの教えから来ています。モハメッドも動物の権利を擁護しているのです。他の生き物に対して配慮しなければならない。動物を丁寧に扱わなければならない。動物の利用は必要最低限にとどめなければならない、といった教えです」と語っている。彼女の動物倫理や意識改革の必要性を説いた著書『自由だけが種にふさわしい』（２０１６）は、シュピーゲル誌の選ぶベストセラーで10週間ランク入りを果たした。

しかし一方で、伝統的な「ハラール」にもとづき、イスラム教が許容する屠畜方法で処理された豚肉以外の肉（ハラール肉）は、口にしてよいことになっている。そこにゼッツギン氏のように矛盾を感じる人が増えてきているのだ。「敬虔なイスラム教徒にこそがっかりさせられます。伝統の盾に隠れて考えを変えようとしないのですから」。

それに加え、ハラール認証のラベルに懐疑的な人もあとを絶たない。ハラール認証を付けられた製品が本当にハラールの条件を満たしているのか、信用できる製品を時間をかけて探す苦労なども避けられない。それであれば、はじめから教えにあるように動物に苦痛を与えるような「食肉」そのものを口にするのをやめよう、そのように考える人たちが出てきても何ら不思議ではない。

ＳＮＳやブログなどでムスリム界の「インフルエンサー」（人びとに大きな影響をおよぼす人）たちが、ヴィーガンに対する考えを投稿することで、若い世代の間でハラール肉に対する疑問やヴィーガンを取に食生活を変える流れが生まれているのだそうだ。ベルリンにおけるベジタリアン・ヴィーガンを取り巻く状況は、単なるライフスタイルとして捉えきれるものではなく、健康志向・環境保護・動物倫理・宗教観と極めて多様で奥が深い問題を内包している。

（希代真理子）

16

オーガニック・マーケット

★自然派志向★

オーガニックは世界的傾向

前述のベジタリアンやヴィーガンの増加は、オーガニック（Bio、有機農法）市場の拡大を促した。次ページの上図は、1999－2020年までのオーガニック市場の規模が世界的に拡大していることを示している。自然食品やオーガニックは今や世界的トレンドになっていることが分かる。同じく下図の円グラフは、2020年の国別のシェアを表しているが、ここではアメリカが群を抜いていて41％、次はドイツの12％、フランスが11％と続く。ここには載っていないが、日本の場合、割合はドイツに比べると一桁違うとはいうものの、日本でもオーガニック農法に関心を寄せる人びとが確実に増加している。

ドイツのオーガニック志向は全国レベルであるが、その傾向はベルリンでも同様である。図16－3のように、ベルリン市内でも大手のチェーン店舗が広がっており、これに載っていない小規模店舗を加えると大変な数にのぼる。大手のBio Company, Denns BioMarkt, LPG BioMarkt, Vitalia Reformhaus, Alnatura などが店を並べているのは、人びとがそれだけオーガニック商品を求めている証である。

第 16 章

オーガニック・マーケット

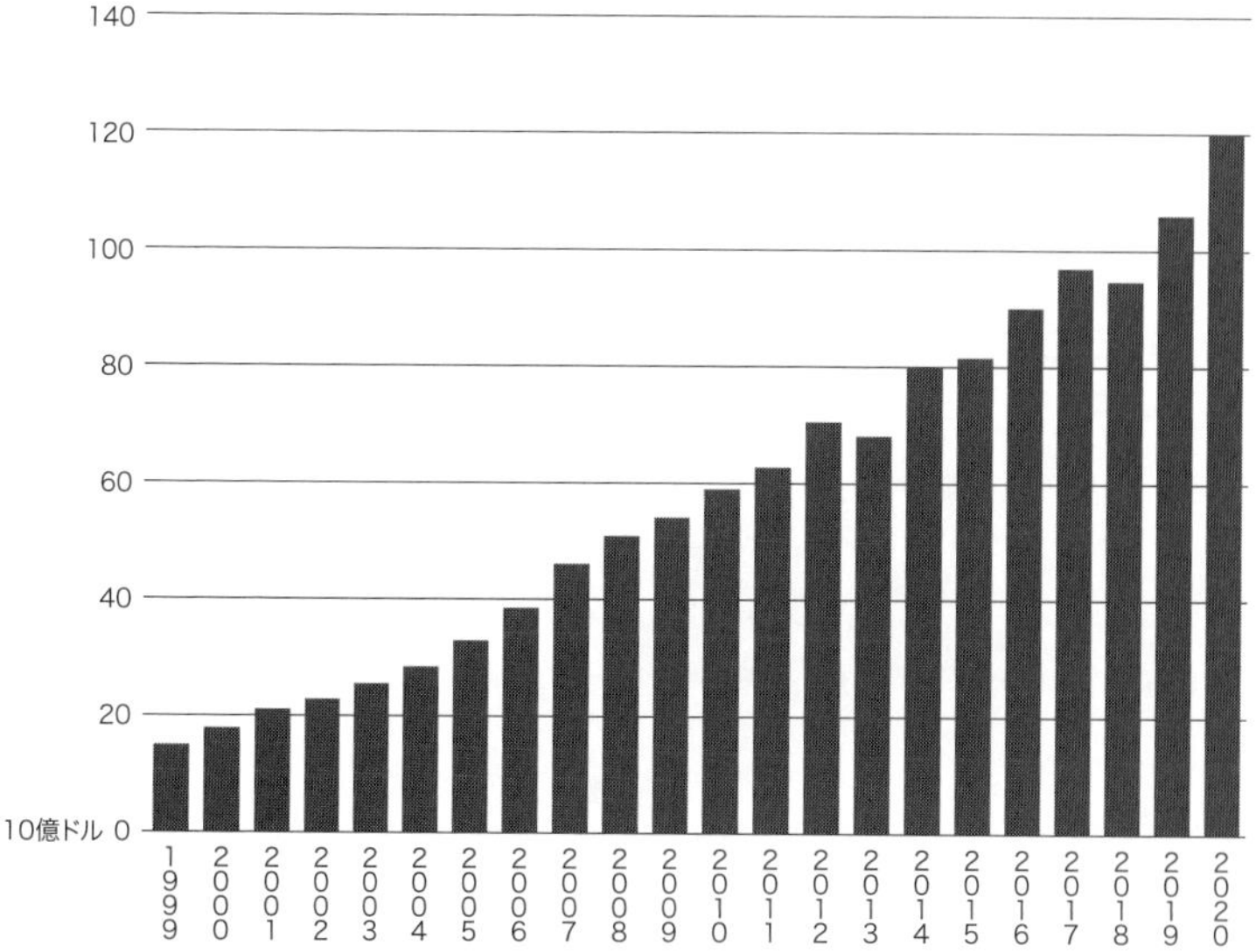

図 16-1：世界のオーガニック食品の年次別販売額（1999－2020）

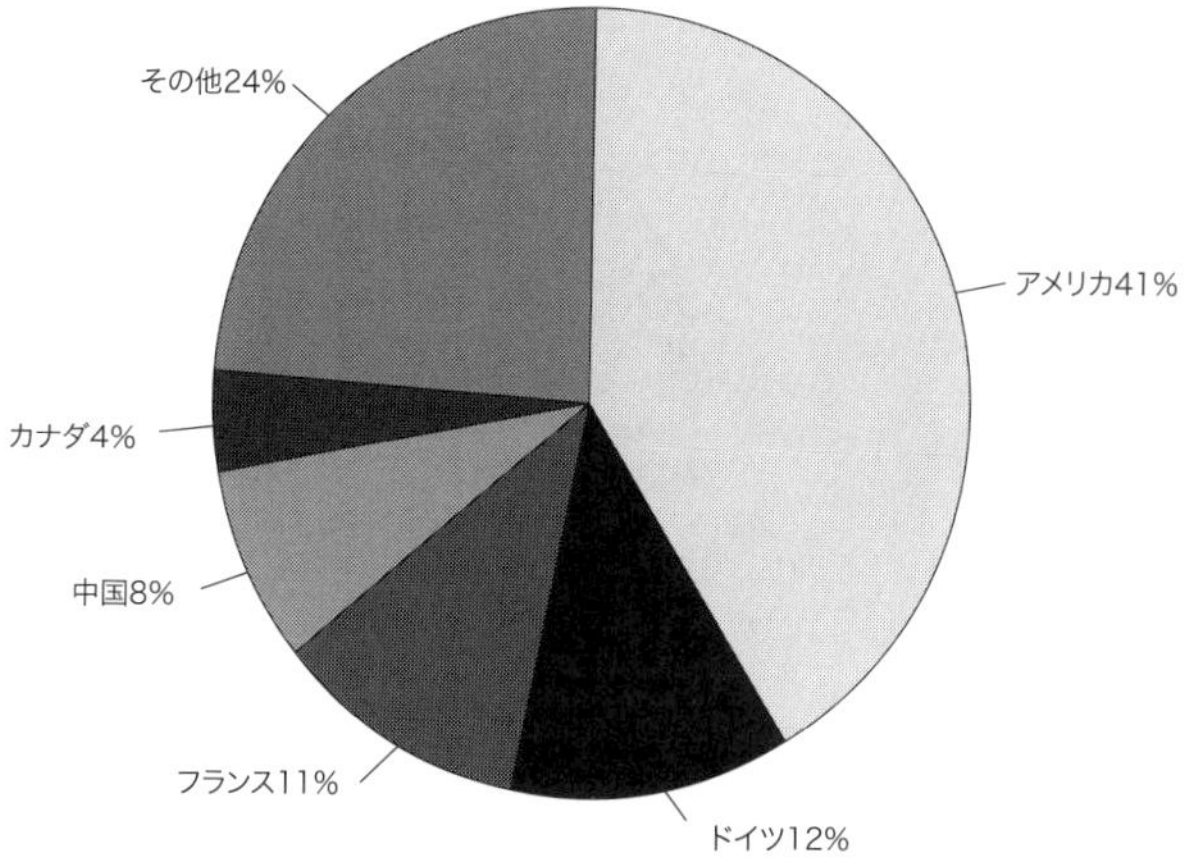

図 16-2：オーガニック食品の世界シェア（2020）

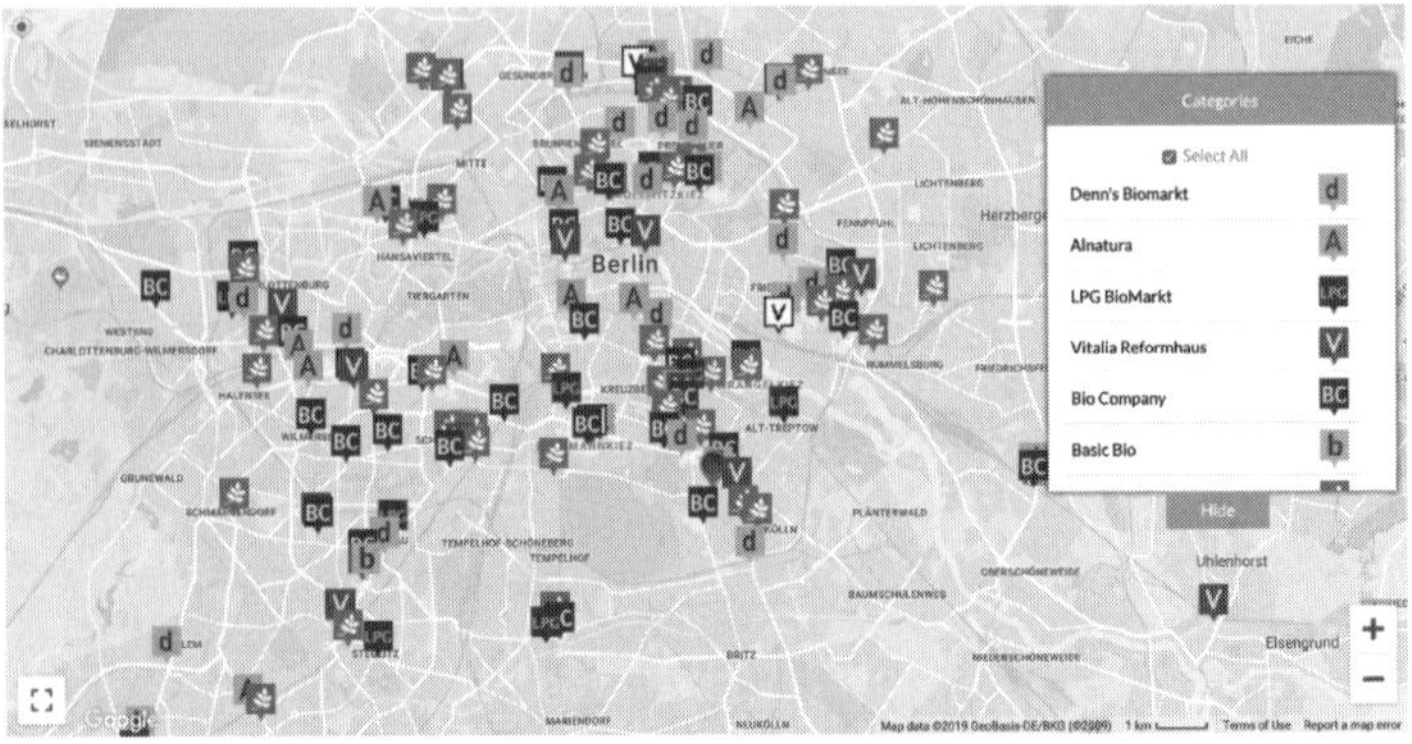

図 16-3：ベルリン中央部のオーガニック・マーケットの分布

EU認証ロゴマーク　ドイツ国家認証ロゴ　デメター認証ロゴ

ビオラント認証ロゴ　ナトゥアラント認証ロゴ

図 16-4：各種認証ロゴ

製品の認証

オーガニック商品のうちＥＵや国、農業団体、企業の基準に合格したものには、ロゴマークが付けられ、販売される。それぞれの認証機関は異なるが、製品の質はロゴが保証することになっている。ただし、抜き打ち検査などによって基準に合致しない商品が出回っていることが発覚し、社会問題化することもある。

さてオーガニックといえば農業生産物が多いが、それだけではなく、パンや加工食品、化粧品、衣服、歯磨き粉など多岐にわたる。しかしその筆頭はやはり無農薬で栽培される有機農法製品である。オーガニック農法に関心が集まるのは、野菜や果物の残留農薬、牛肉や卵、乳製品における残留抗生物質などが気になる人が多いからである。また近年、遺伝子組み換え（飼料の５％であれば容認）食品に対する消費者の警戒心も高く、少しでも安全な食品を求める傾向は強い。たしかに商品の値段がやや高いという欠点はあるが、とくに妊婦や乳幼児には、この農法の食品が好ましいといえる。

思想的背景にまで考えをめぐらせば、有機農法のルーツは、シュタイナー学校の創設者ルドルフ・シュタイナー（１８６１～１９２５）にまでたどりつき、哲学や世界観の問題にかかわってくる。また環境政策からみれば、化学肥料ではしだいに農地が荒廃するのに対し、有機栽培では農地が肥沃なまま再利用できるメリットがある。この食物連鎖は生態系の問題にまでつながる。さらにその延長線上で、一般食品の食品添加物や化粧品の添加物、商品のリサイクルにも関係する。

（希代真理子）

図 16-5：ベルリンのオーガニック・マーケット（バラ売り）

17

ファストフードとスローフード

★現代社会の食文化★

食文化は時代を映す鏡

ファストフードとスローフードは現代を映す鏡である。この食文化からも時代を切り取ることができる。便利さ、手早さと合理性を求める食文化は、資本主義の発達とともに増えてきた。とくにハンバーガー、フライドチキンなどのファストフードは、アメリカ資本主義が生み出した食文化で、チェーン店形式でグローバル化した。それが瞬く間に新潮流を生み、世界の食文化を席巻してスタンダードになった。ファストフードが時間に追われている現代のもっとも便利な食文化スタイルであったからだ。

このような食文化に対して、異を唱える運動がイタリアから生まれてきた。とくにローマの有名な観光名所「スペイン広場」にアメリカ資本のマクドナルドが進出したとき、危機感を持った人びとが、ファストフードの対極の概念でスローフードを推進したというエピソードがある。ジャーナリストであるカルロ・ペトリーニ（1949～　）が反対運動の狼煙《のろし》を上げ、スローフード協会会長となって反対運動が世界へと発展していった。そのシンボルマークは象徴的なカタツムリである。

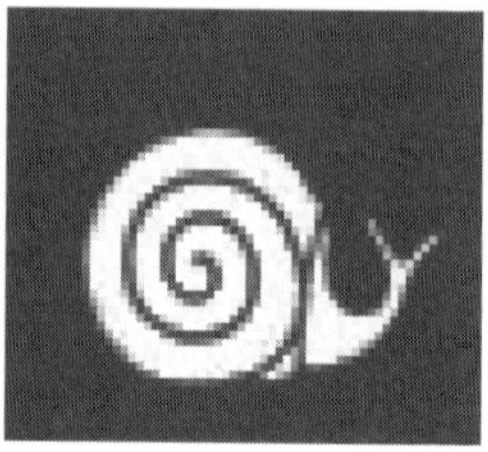
図 17-2：スローフードのシンボルマーク

図 17-1：カルロ・ペトリーニ

いうまでもなく、イタリア人の財産でもある食文化、「ママンの味」というスローフードの伝統文化は、短絡的なアメリカの食文化に対して、大きな違和感を表明したのである。この運動はドイツにも伝わった。もともとドイツの地方には、料理に長い時間をかけてゆっくり準備をする文化があった。この伝統が、現代のスピード化、効率化のアンチテーゼとして急速にクローズアップされるようになった。いわばファストフードがグローバル化したのに対し、スローフードはローカル化という反対方向の運動という図式になる。以下にベルリンで目につくファストフードとスローフードを採り上げてみたい。

ベルリンのファストフード

多文化都市ベルリンの特性は、食文化にも反映されている。アメリカルーツのマクドナルドの進出やトルコ料理の影響など、ベルリンのファストフードも多様な食文化から生まれたが、しかしその筆頭は、本来のドイツ食文化の定番であるソーセージをベースにしたものである。典型はカレー風味にしたカリーヴルストであろう（図17－3）。これはもっとも人気のあるファストフードのひとつである。もちろんカレー味でない、本来の焼ソーセージもパンに挟んで提供してくれ、昔ながらのファストフードも健在である（図

図17-3：カリーヴルスト

図17-4：ブレートヒェンに挟んだ焼きソーセージ

17－4）。
ガストアルバイターの大量流入とともに、トルコ料理をルーツにするケバブも、1970年代からベルリンで定着してきた。これはトルコ移民の人びとだけでなく、ベルリン市民にも受け入れられてきたからである。次ページの図17－5のように肉をブロックに固め、回しながらそぎ落として野菜とミックスしてパンに挟む食べ方である。
これはベルリンの市民や観光客にも便利さ、快適さ、手早さが受け入れられた。しかし、ベルリンにもスローフード協会という組織があって、数百人の会員がファストフード文化に対抗し、活動を行っている。ポリシーは文明論から、安全な食事の摂取まで多様であるが、そのひとつにファストフードの問題点は、食品添加物を自分の目で確認できないことにある。とくにケバブに添加されるリン酸塩についてはEUレベルで話題になり、2017年末の投票において僅差で容認されるような出来事もあった。

ベルリンのスローフード

ベルリンでもスローフードは、伝統的な手間暇をかけて行う料理であるが、現在ではファストフードの対極の概念として用いられている。スローフードは本来の生活への原点回帰にほかならないが、現代の日常社会がスピード化しすぎ、ほとんどの職場で効率化、能率化は至上命令とされているから、その見直しという意味で注目されている。さらにスローフードは、食材がどこから来てどのように料理されるのかというプロセスが可視化されるものが多く、大量生産・大量消費の現代社会とは異なる、伝統料理が多いという特色がある。

ではベルリンのスローフードにはどのようなものがあるのか。以下で採り上げるアイントプフ、アイスバイン、ザウアークラウトなどは、もちろんベルリンだけの料理ではない。もっと広げればドイツだけでもなく、それ以外の国々でも存在するが、北ドイツの、とくにベルリン市民になじみ深い一般的な料理であるという意味において採り上げる。

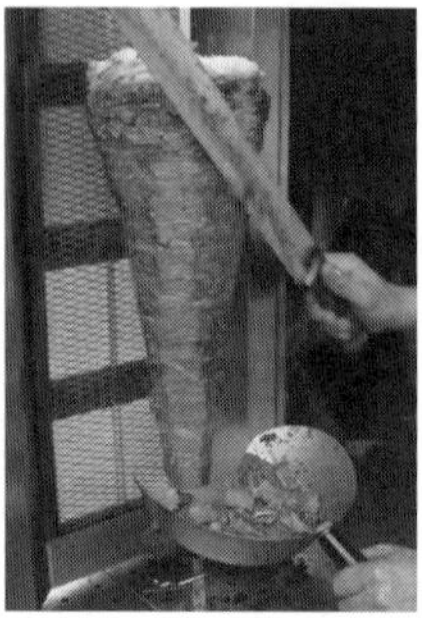
図 17-5：ケバブ用肉

図 17-6: パンに挟んだケバブ

アイントプフ (Eintopf) は「農民料理」といわれている煮込み鍋料理で、材料は各家庭で異なるが、ニンジン、芽キャベツ、レンズマメ、インゲン豆、セロリ、ジャガイモ、ベーコン、ソーセージ、豚肉などを入れて煮込むので、調理に時間がかかる。

アイスバインはスローフードの典型であり、豚肉の骨付き肉を長時間煮込んで、ザウアークラウト

図17-7: アイントプフ

図17-8: アイスバインとザウアークラウト

やジャガイモを添える。脂肪分がたっぷりあり、通には最高においしいという人が多いが、筆者には脂っこくて、いささかためらわれる。これはEisbeinと表記するので誤解されやすいけれども、Eisはドイツ語ではなくラテン語のischia（股関節）由来で、それにドイツ語のBein（脚）が合成され、脚の関節の煮込み料理の意に用いられたという説がある。

ザウアークラウト（Sauerkraut）はソーセージや肉料理の付け合わせや添え物としてよく用いられるが、日本でもしだいに愛好者が増えてきた。もともとザウアーというドイツ語が示すように酸味があるキャベツ漬けであるが、それは酢を加えるのではなく発酵した乳酸によるもので、ビタミンCも豊富な健康食品としても知られている。スーパーでも瓶詰で売っているので、それを利用する場合、もちろんスローフードという分類はできない。しかし自宅で作る際には、1、2週間発酵させるので、その意味ではスローフードである。

作り方はいたって簡単で、材料はキャベツと塩だけである。もちろん好みでディルやローリエなどを加えることはあるが、添加物は一切なしの自然食品である。瓶に詰め発酵させるが、ある程度保存も利く。以上のスローフードの愛好者は、オーガニック、無農薬食品、環境問題などに関心を持つ人が多く、それぞれが関連しているのである。

現代社会は、ファストフードとスローフードが混在しているが、休日などにスローフードを味わうと、本来の生活のリズムを体感することができる。都会の日常生活においても生活スタイルを工夫すれば、スローフード料理だけでなく、スローライフを味わうこともできよう。

（浜本隆志）

18

ベルリンの青空市と近郊農業（アーバン・ファーミング）

★ベルリンの２つの顔★

ベルリンの朝市

ドイツの他の都市と同様、ベルリンにも朝市（Wochenmarkt）が定期的に開かれる。これはドイツのどの町でもみられる風物詩であるが、ベルリンの朝市は区ごとによってかなり様子が異なる。西側のシャルロッテンブルク＝ヴィルマースドルフ区には、より伝統的な市場が立つが、それとは全く違う顔を持つのがミッテ区の朝市だ。こちらは近所のレストランやカフェにとっては競合相手となる、ランチタイムにぴったりの工夫をこらした軽食を出す店が多い。また、クロイツベルツ地区にはカラフルで斬新なラインアップのスタンドが多くみられる。このようにベルリンの朝市にはいろんな顔があるが、住民のカラーやそれぞれキーツ（特徴のある地域のこと）の持つキャラクターが反映されているのだろう。

ベルリンの朝市といえば、４月に入ると出荷され始め６月24日の聖ヨハネの日に収穫を終える、白アスパラガスのシーズンが真っ先に思い浮かぶ。近隣のベーリッツという町から大量に新鮮な商品が運ばれてくるのがお決まりだ。「シュパーゲル（白アスパラガス）はおそらく野菜の王様だろう。残念なことに

図18-1：じゃがいものスタンド（筆者撮影）

図18-2：ベーリッツの白アスパラスタンド（筆者撮影）

かれの支配は短いのだが」とゲーテが白アスパラガスの素晴らしさを讃えているほどだ。かれは自分の手で白アスパラガスを栽培して、自信たっぷりに恋人に送っていたことでも知られている。それほど、ドイツ人にとって白アスパラのシーズンは重要なのだ。もちろん、白アスパラ料理の引き立て役として、じゃがいものスタンドも賑わっている。じゃがいもの種類の多さにもドイツらしさを感じさせられる。

朝市にはこのように近隣の町から新鮮な野菜や肉・乳製品、ハチミツ、生花などが運び込まれ、軽食スタンドもたくさん出店する。週末にはブラブラと市場を回りながら買い物をしたり、近所の人たちと立ち話をしたりしている人びとの姿がみられ、朝市が地元民の生活に根付いているのがよく分かる。市場の良さは、スタンドで販売されている商品のルーツがはっきりしていることに加え、対面方式での販売者とのやり取りにあるだろう。昔ながらの量り売りが原則で、マイバッグが不可欠だ。

都市農業（アーバン・ファーミング）

あるとき近所のスーパーに真空パックされた魚がお目見えした。パッケージをみると「ベルリン産の新鮮な魚」（図18－4参照）とある。

ではないか。ベルリンには川は流れていても海からは遠く離れている。これは養殖の魚ということなのだろうか。

すでに第1章で取り上げたように、ベルリンには都市農業（アーバン・ファーミング）のスタートアップがいくつかある。ヨーロッパでも最大のＥＣＦファームシステムが、２０１４年にアクアポニックス・ファームをベルリンでスタートさせた。アクアポニックスとは従来の養殖と水耕栽培を組み合わせたシステムを指す。今では、ベルリンのシェーネベルク区にあるモルト工場跡を利用した１８００平方メートルの敷地で40万株の「首都バジル」(HAUPTSTADT BASILIKUM)と、5トンの「首都パーチ」(HAUPTSTADT BARSCH（すずき目の魚、ヨーロッパ・パーチともいう。淡水養殖も可）を生産している。主な取り引き先はドイツ国内2位の規模を誇る大型スーパーチェーン、ＲＥＷＥである。この会社は同じくスーパーのチェーン店を持つＥＤＥＫＡとの提携や、敷地内にある小さな直売店および市内のレストランやケータリング会社に配達サービスなども行っている。

図 18-3: ヴィースバーデンにある REWE の「グリーンファーミング」と呼ばれるコンセプトショップ

　ＥＣＦファームで魚の養殖とハーブ栽培が同時に行われているのは偶然ではない。ここではアクアポニックス

図 18-4：ヨーロッパ・パーチ（すずき目）

図 18-5：ハーブ（プラスチック０％の包装を謳っている）（以上２点は ECF ファームサイトより）

という、淡水養殖と水耕栽培を組み合わせた農法が取り入れられているためだ。まず施設の屋根で雨水を受け止め、その水が魚の水槽に使用される。コンピューターで制御されたシステムにより水温を管理し、水槽内に流れを起こす。魚は排泄物によって水をアンモニウムで豊かにし、バクテリアはこれを天然の肥料である硝酸塩に変える。こうして自然の肥料を含んだ水槽の水は、植物の水やりに使われる。さらに水分に含まれた栄養分をハーブが消費することで、水は再び浄化される。この水は温室で再び回収され、新鮮な雨水と一緒に水槽に戻される。以上が循環サイクルのシステムである。

創設者のニコラス・レシュケ（Nicolas Leschke）は２０１１年にアクアポニックスに出会い、現在のビジネスパートナーであるクリスチャン・エヒターナハト（Christian Echternacht）とともに実験を行った。当初はひとつのプロジェクトとしてのアイデアだったが、ビジネスモデルとして成立することが判明する。その後、２０１４年には個人投資家が参入してきた。ベルリン投資銀行（ＩＢＢ）の投資部門も２０１５年から稼働している１８００平方メートルの大型施設の建設を支援している。

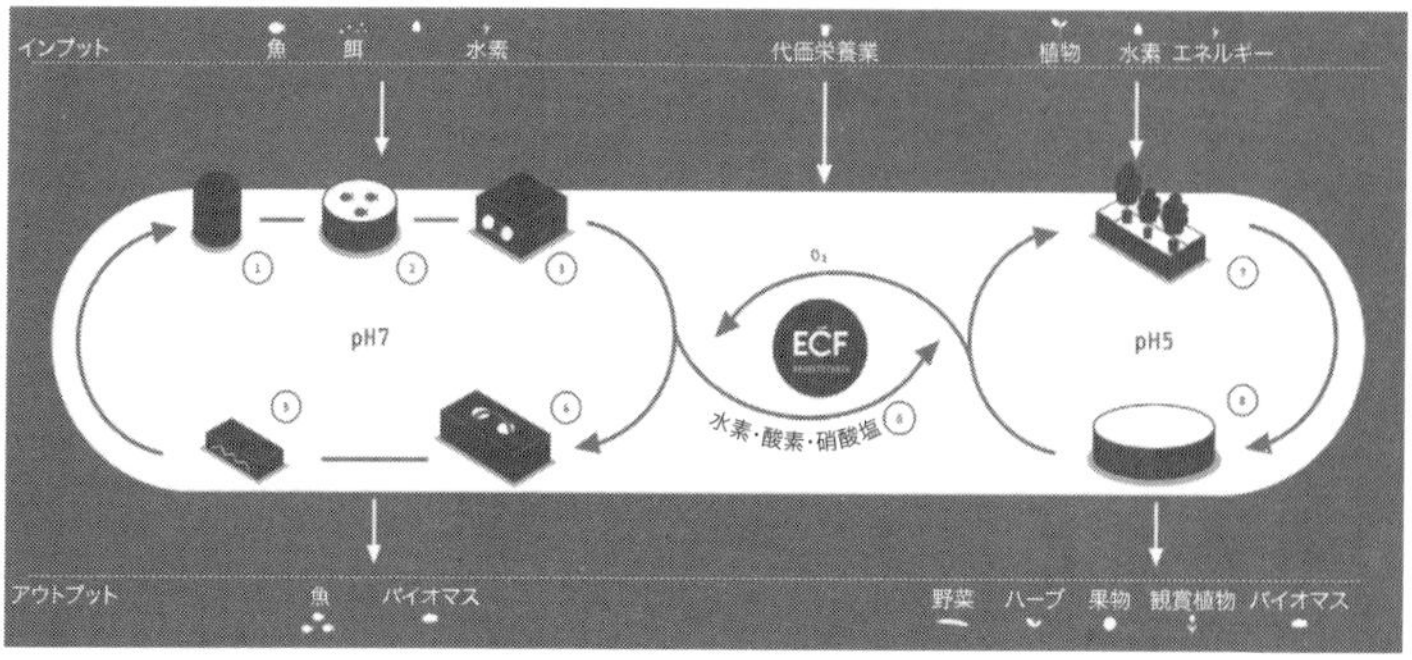

図 18-6: 循環サイクルのシステム

都市農業のトレンドをビジネスモデルにしたのは、ベルリンのＥＣＦ社だけではない。前述した「インファーム」というスタートアップも、アーバン・ファーミングだけでなく、店内に小さな温室を設置し、スーパーマーケットで直接ハーブを生産している。これらの都市農業は果たして未来の食料供給の救い手になり得るのだろうか。そのためにはさらに大規模な施設を建設し、生産量を上げる必要がある。販売価格を下げる必要があるためだ。ＲＥＷＥで見かけたヨーロッパ・パーチの値段は５００グラムで７ユーロ（約１０００円）ほど。ドイツは魚の値段が高いとはいえ、なかなか気軽に買える品ではないだろう。バジルの料金は２ユーロ（２８０円）と、比較的手が届きやすい価格設定となっている。バジルの販売にはプラスチックの使用をやめ、ペーパーバッグが使用されている。これにより年間７０００キロのプラスチック利用の削減に貢献している。

　スーパーマーケットＲＥＷＥはグリーンファーミングだけでなく、徹底したカーボンニュートラル政策にシフトしている。たとえば２０２１年５月に、ヴィースバーデンでＲＥＷＥの新店舗がオープンしたが、「グリーンファーミング」と呼ばれるコンセプトショップの建築には、二酸化炭素の排出を抑えるために多くの木材が使われている。新店舗用の木材は、将来的なスーパーマーケット建材の中核となるもので、ここでは再生可能な原材料として木材が約1100立方メートル使用された。近郊に植えられた針葉樹は、30年後には再び木が育ち、700トン以上のCO2を蓄えるので、CO2のバランスも取れるという採算見込みである。

その具体的なコンセプトを列挙しておこう。まず新店舗のガラス張りのファサードと温室によって、多くの日光を利用することが可能になる。さらに、スマート冷暖房技術、100%再生可能エネルギーによるグリーン電力、屋上農園や衛生設備、店舗の清掃に雨水を利用することで、資源の節約が徹底される。その上、屋外エリアもサステナブル（持続可能）に設計されている。駐車場を円形にレイアウトすることで、舗装部分を減らし、雨水が浸透する土壌部分を増やしている。緑地と花壇は昆虫にとって重要な生息地を作り出す。そして屋根に直接ECFファームを設置し、同じ建物内にあるスーパーで販売する、という欧州初の試みが行われている。

このグリーンファーミングというコンセプトで建設された、REWEとECFファームの今後に期待したい。

（希代真理子）

19

ベルリンのクラインガルテン

★都市型農園★

クラインガルテンとは

ドイツを列車で旅行していると、大都市近郊では窓辺からクラインガルテン（市民農園）が視野に入ってくる。これは日本の貸農園と一見、類似しているようであるが、詳しく調べると大きな違いがみえてくる。ドイツの場合、クラインガルテン法が制定され、それにもとづき全国を網羅するネットワーク組織が存在する。所有形態は地方自治体が多く、クラインガルテンは、環境行政と深く連動した現代社会に不可欠な緑地空間であることが分かる。まず、ドイツのクラインガルテンの成立史を簡単にたどり、その特徴を確認しておきたい。

ドイツでは1840年代に産業革命が始まり、都市に人口が集中するようになる。それとともに密集した中層の集合住宅が多くなり、都市住民の生活が大地から離れて不健康になった。そこでライプツィヒの医者でかつ教育者のモーリッツ・シュレーバー（1808〜61）が、クラインガルテンのルーツともいえるシュレーバー・ガルテンを造り、農園を通じて子どもの教育や健全な生活を取り戻す運動を提唱した。

シュレーバーは思想的にはフリーメイソンであって、ライプ

図 19-1：シュレーバー

ツィヒのロッジ（支部）の会員であった。この事実とかれのクラインガルテンの実践とは表裏一体の関係にある。というのもフリーメイソンは、一面では閉じられた秘密結社であるが、他方、啓蒙主義的な特性を持ち、とくに他のロッジとのつながりが深く、ヨーロッパ規模のネットワークが存在していたからだ。この事実を勘案すると、クラインガルテン運動は、当時まだ統一されていなかったドイツではあったが、広範囲の組織形成に発展する素地があったといえるであろう。

理念的には、クラインガルテンは都市化が進展する中で自然への回帰とレクリエーション、子どもの遊び場と教育、実利的な野菜の収穫などを目指す試みであった。このようにクラインガルテンは、設立当初から理念と目的を明確に持っていたことが特色として挙げられる。その精神はドイツ統一後、しだいにドイツ全国に浸透し、やがてワイマル共和国時代の１９１９年に、クラインガルテン法が制定された。そこには非営利の目的が明示され、借り手の権利と義務が成文化された。

やがて１９２１年に、全ドイツを包括するクラインガルテン協会が成立した。これは土地をクラインガルテン協会が所有し、それを市民が借りるという形態の、ネットワーク化した組織であった。ナチス時代にもクラインガルテンは存続したが、ナチスはジードルング（Siedlung）という宅地とセットになった庭付き住居というかたちで推進した。敗戦後、ドイツは東西に分割されたが、クラインガルテンは旧東ドイツでも盛んであった。

再統一されたその後も、クラインガルテン運動は全国レベルで継続され、同時に自然環境保全の機運と重なり、近年、急速な広がりをみせていった。これは一種の庭のない集合住宅が急速に増えていった都市化と対の関係にある。現在でも全国横断的なクラインガルテン協会が連帯を図る活動を行っている。協会員は全国で約100万人弱であるが、家族など関係者はその数倍になる。現在はNPO法人で、公益性を基本的理念にしている。近年のコロナ禍によってますます身近なクラインガルテンに注目が集まり、その重要性が再認識された。

ベルリンのクラインガルテン

ベルリン市議会は2004年に「クラインガルテン開発計画」を採択し、自然環境を保持するベルリンの都市型クラインガルテンの位置付け、維持発展を目指す方向を示した。現在、ベルリンには877区画、実数約7万1000のクラインガルテンがあるが、それは市域の3・5％に相当する。1区画の平均面積は342平米（2018年、共用部分を含む）であり、約8割が市所有地である。他の地域と同様、園亭（小屋）を敷地内に建てて野菜や果樹、花を育てるのであるが、クラインガルテンは他の地域と同様、コミュニティの維持、エコロジーや都市環境の保全、教育、防災においても、重要な役割を担っている。

ところが首都ベルリンも人口増（2010年346万人→2020年370万人）を抱え、都市再開発や新たな都市計画によって、クラインガルテンの維持発展が喫緊の課題となってきた。そこで「環境・交通・気候保護局」は10年先を見越した「クラインガルテン開発計画2030」を作成した（202

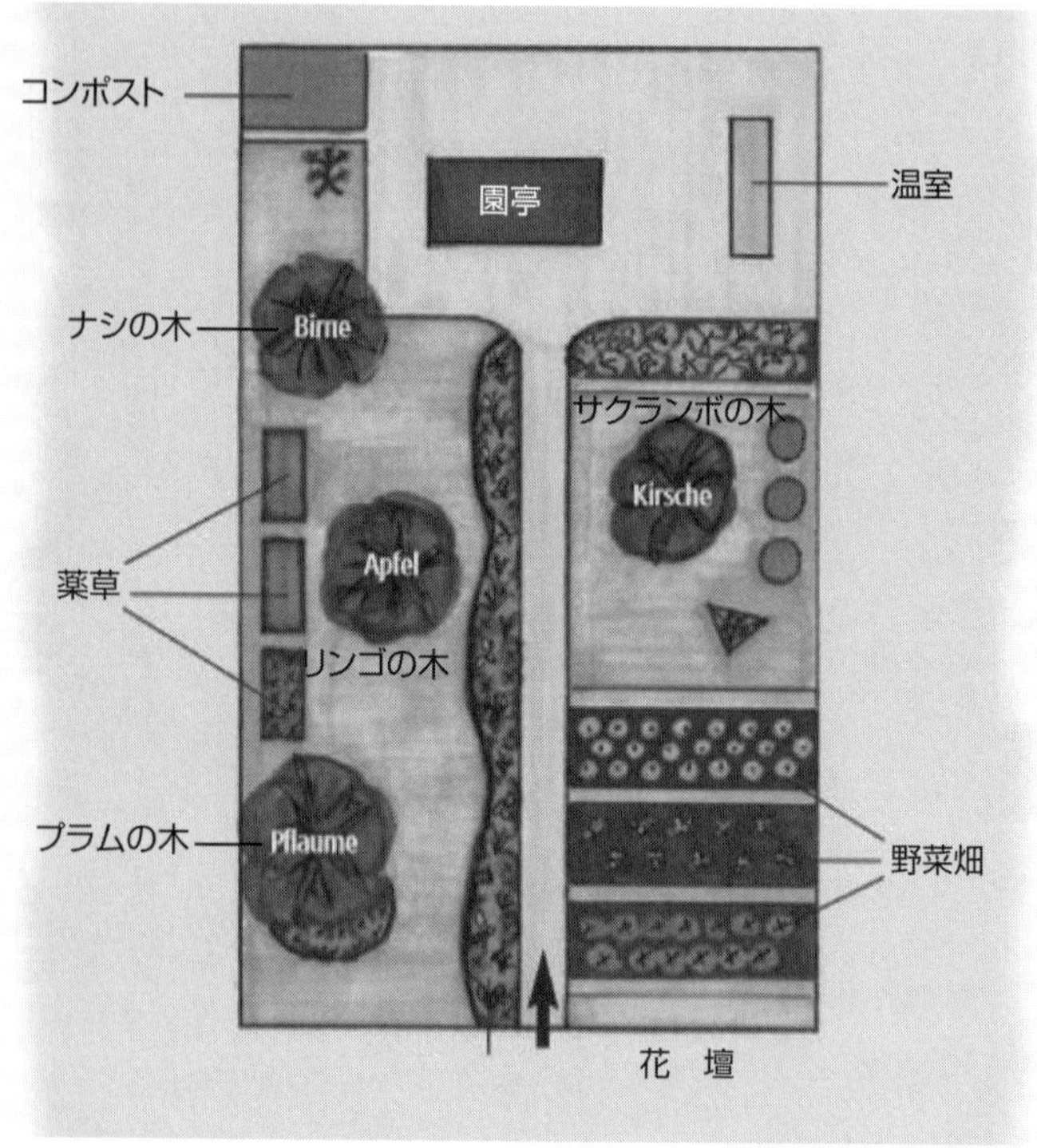

図 19-2：クラインガルテンの利用例

0年8月採決）。なお現在のベルリン市議会の党派別勢力は、環境政策にも影響するので、確認しておきたい。

直近の2021年9月選挙結果であるが、与党は第1党の社会民主党、第2党の緑の党、第4党の左翼党の3党で、野党は第3党のキリスト教民主同盟、ドイツのための選択肢、自由民主党などとなっている（282ページ参照）。ここでも、極右といわれているドイツのための選択肢は退潮傾向を示した。ベルリン市議会は、左派系が強い与党と保守系の野党の勢力関係によって、政策は経済成長より環境重視の傾向が強いという特徴がある。

さてクラインガルテン発展計画においては、ベルリンはその全区画を、維持区域、年数を区切って変更が可能な区画、その他の変更可能な区画というカテゴリーに分けてきた。2030年計画ではその見直しを行い、保全維持地区を82%という圧倒的多数に増やした。これまで2020年という期限付きであった9・4%の転用区域を2030年まで10年間凍結したが、7%は私有地であるので規制は困難な区画とみなし、目標設定をしている（州行政Senatsverwaltungホームページ参照）。

理念的には変化する都市の中で、緑地帯としてのクラインガルテンは役割が重視され、地球温暖化の防止にも有効活用させようとしている。現実問題として、クラインガルテンをやむなく潰さなければならない場合、代替地を求めることが前提となる。要するにクラインガルテンは、都市計画、持続可能な社会建設、防災、無農薬・オーガニック農業など、広範な地球環境問題と強く連動しているのである。

（浜本隆志）

20

ベルリンのドメーネ・ダーレム（Domäne Dahlem）

★体験型都市農園★

農業・食文化野外博物館

ベルリンにあるこの種の博物館をドメーネ・ダーレムという。この広大な農園は、ベルリン郊外の南西部にある。現在では大都市の中で運営されている体験型農園として存続し、800年の歴史を有する。もともとここは、13世紀にはブランデンブルク辺境伯領の東方植民の村がルーツだった土地である。中世には騎士農園であったが、1841年からプロイセン王国の御料地（ドメーネ）となった。ベルリンはすでに1709年に王国の首都となっていたが、1871年のドイツ帝国の成立後、急速に資本主義化して発展し、ドイツの首都として都市化が進んだ。しかしダーレムは近郊の農業地域と同様、その台所として農産物を供給する役割を果たし続けた。

ドメーネ・ダーレムは第一次、第二次世界大戦の戦火をくぐり抜け、敗戦後に存続の危機はあったものの、市民の努力によって都市農園としてかろうじて生き延びることができた。戦後、かつての農場が次々と都市化され潰されていったが、ここは一種の文化遺産として死守された最後の砦であった。現在でも大都市の食糧生産の拠点であるだけでなく、貴重な食文化の教育遺産としての役割を果たしている。人びとに食の原点である農場の実際の作業をみせることが、啓蒙的な意味において重要であるからだ。

いくら都市が近代化しても、人間は食の原点に立ち戻らねばならない。たしかに現在ではスーパーマーケットへ行けば、季節外れのものを含め、ありとあらゆる食材が入手できるが、生産する側にまで思いを馳せる人は少ない。実際に農薬散布、化学肥料、遺伝子組み換え食品など、人工的な現代農業の波が押し寄せてきているが、ドメーネ・ダーレムでは食の原点である自然有機農法にこだわり、その伝統を守るポリシーを伝え続けている。

その意味において大都市の一部に、農産物がどのように生産され食卓に載せられるかという、食文化のプロセスを野外博物館形式で示す体験型農園が存続していること自体が貴重である。子どもたちの教育を含めてその意義は計り知れない。

一大イベントのクリスマスマーケットだけでなく、ヒツジの毛の刈り取り、糸つむぎ、ロウソク作りなど、各種イベントやワークショップはベルリンっ子にも人気の的である。もちろん平時にも野菜、肉などの販売が行われている。ドメーネ・ダーレムでは自然有機農法による野菜や果物の生産だけでなく、絶滅危惧種に指定されているかつての家畜の保存にも力を入れている。これらの点においても非常に重要な施設だといえる。伝統文化を大切にするドイツの精神が、この農園に息づいているのである。

図 20-1：ドメーネ・ダーレムの航空写真

ドメーネ・ダーレムが目指すもの

ドメーネ・ダーレムの持つ本来の意義とは何だろうか。その第一は、訪問者がライフサイクルについて理解し、自然をじかに体験できることにある。自分たちの食べているものがどこから来て、どのようにして食卓に上っているのかを実際に目でみて体験できること。「都会の中の田舎」で生きた博物館として存在していること。先進国において家庭は核家族化し、もはや存在しない「おばあちゃんの知恵」の代わりに、食文化の伝統を伝えてくれることなどである。

ドメーネ・ダーレムを訪れる人びとの年齢層は幅が広い。自分が子どものときに親に連れられてやってきた子どもたちが、また自分たちの子どもを連れてくる。広大な敷地に博物館があることを知らないで入園する人も中にはいるのだそうだ。残念なことに、取材当日はコロナ対策の関係上、敷地内に2つある領主の館（Herrenhaus）およびクリナリウム（Culinarium）での展示は観ることができなかった。前者の展示は主に農業と食生活に関する歴史的なテーマ、たとえば20世紀における

「食品の衛生管理」といった内容の展示が行われている。後者はインタラクティブ（双方向的）な展示方法による、体験型博物館で、ドメーネ・ダーレムの基本指針である「畑から食卓まで」というテーマで、子どもから大人までが幅広く楽しめる内容になっているのだそうだ。

図 20-2:　領主の館（筆者撮影）

絶滅危惧種保護農場——アルヒェ・ホーフ

これらの2つの博物館以外にドメーネ・ダーレムで重要な役割を果たしているのが、畜産と農園だ。とくに畜産ではアルヒェ・ホーフ（Arche-Hof）という絶滅危惧種保護が重要なミッションである。「コロナ禍であろうがなかろうが、動物たちの暮らしにはあまり影響がありません」。そんな話をしてくれたのは、アルヒェ・ホーフで絶滅のおそれのある品種の保護を担当しているマッソンさんだ。

彼女はすでに20年以上、ドメーネ・ダーレムで働いているベテランである。ドイツ国内でも畜産動物において絶滅のおそれのある品種が問題になっている。たとえば、乳牛については牛乳の生産量が高い白と黒のまだら模様のホルスタイン・フリーシアンという品種が現在、その大半を占め、他の品種はほとんどみられなくなった。

1950年代にはまだ地方特有の品種が存在していた。ドイツの高山地帯に行くと茶色の牛が、中高山地帯には赤い牛が、海岸沿いには白と黒のまだら模様の牛がいたのだそうだ。それが、現代においてはもっとも効率良く搾乳できるホルスタイン・フリーシアン（日本での通称）ばかりになってしまった。畜産農家がその土地に合った品種の牛ではなく、搾乳量のもっとも多い品種であるホルスタイン種を好むからだ。それはドイツ国内だけにとどまる問題ではなく、たとえばイスラエルにおいても同様で、実際は暑さや太陽に弱い品種であるにもかかわらず、搾乳量を上げるためにホルスタイン種が空調完備の厩舎で飼育されている。この「質より量」の畜産方法が広まるにつれ、その地域特有の古い品種が絶滅の危機に追い込まれるようになった。

牛だけではなく豚や鶏についても同様のことが起きており、今ではハイブリッド種がその大半を占めるようになった。「品種が少なくなると何が起きるか分かりますか？」とマッソンさんは続ける。「豚を例に挙げると、50年前あるいは70年前は脂肪分の少ない豚など誰も見向きもしませんでした。ところが今はどうでしょう。ダイエット時代ですから、肉から脂肪分を引いた重さで値段が決まるのです。将来のことは誰にも分かりませんが、特定の品種の豚の間に疫病がはやるかもしれない。そうなったときに品種が少ないとどうなるのでしょうか。種が途絶える危険性があります。多様な種があれば、疫病に耐えるものがあり、難局を切り抜けることができます。将来を見据えた畜産を行う必要があるのです。品種の多様性の重要性はそこにあります」

「そのためにドメーネ・ダーレムには、アルヒェ・ホーフがあるのです。ここの畜産農場は絶滅のおそれのある家畜の保護団体（GEH）にも認定されています。この保護団体は主にドイツ国内で該

図 20-3：ドイツ・サドル豚
（筆者撮影）

図 20-4：ブルガリア・ロングヘアー山羊
（筆者撮影）

当する品種の保護や飼育の促進を行っています。GEHが設立されたのは1981年です。ドイツ全国に2100人以上の会員が存在し、ドメーネ・ダーレムもこの団体に所属しています」。このようにドイツでは、全国ネットで固有種である絶滅危惧種を保存していく伝統がある。

アルヒェ・ホーフの基準は細かく決められており、個人でも会員になれるが、飼育状況を綿密に記録したり、外部から問い合わせなどがあったりした場合には、見学などを行う義務がある。子ども向けの見学プログラムも行われており、マッソンさんの担当は主に畜産農家や獣医、生物学者などの専門家を対象にしたガイダンスなのだそうだ。

マッソンさんに敷地内の動物たちをみせてもらった。胴体の真ん中あたりに鞍のように色が入っているドイツ・サドル豚（Deutsches Sattelschwein）は厳しい環境にも耐えうる品種だが、現代の消費に合う脂肪分の少ないタイプではないため、畜産農家などからは人気のない品種である。ブルガリアから来たブルガリア・ロングヘアー山羊（Bulgalische Langhaarziege）は1960年代にエアフルト動物園にやってきた品種。そこからドイツ国内の飼育が始まったとされている。この山羊もより生産性の高い山羊とのハイブリッド種に押され数が減少

図 20-5：体験農場とアルヒェ・ホーフのロゴなど（左）

した。

　しかし、1997年にブルガリアでも品種の保護団体が設立されたことにより再び数を増やしている。レッド・ハイ牛（Rotes Höhenvieh）は役牛プロジェクトにも携わる赤茶色の品種である。すなわち役牛に使用できる性格を持ち、昔ながらの伝統的な農耕用の牛のデモンストレーションなどを行っている。国内外の屋外体験型博物館などへ販売もされている。このように市場では競争力の劣る昔ながらの家畜を飼育・保護することによって、生物の多様性の維持に貢献するというのがアルヒェ・ホーフの役割となっているのだ。

（希代真理子）

21

ドメーネ・ダーレム見学記

★農園管理人へのインタビュー★

コロナ禍のドメーネ・ダーレム

ベルリンも11月になると曇天で肌寒い日が多くなる。２０２０年11月２日から施行されたロックダウン・ライトによって、取材がキャンセルになってしまうかと危惧していたのだが、広報担当者の計らいもあり取材が予定通りできることになった。

ドメーネ・ダーレムは、ベルリン中心部から地下鉄を乗り継いで30－40分弱でアクセスできる野外体験型博物館である。広報のフォルブレヒトさんが「市内にある生きた屋外体験型博物館、『都会の中の田舎』であることにドメーネ・ダーレムの良さがあるのです」と何度も強調されていたのが印象的だった。約12ヘクタールの広さを誇るドメーネ・ダーレムは、敷地を並行して走る地下鉄一駅分ほどの広さがあるといえばイメージしやすいだろうか。

取材当日はあいにくの天候だったが、その広い敷地内をダーレム地区の住民であろう人びとがジョギングをしており、幼稚園のグループなどの姿もちらほらとみられた。ここは近辺の住人の憩いの場所でもあるのだろう。

「4月から9月のベストシーズン、とくに天気の良い週末は

図21-1：幼稚園児の見学（筆者撮影）

かなりの人出があります。11月のこの時期は訪問者数も減って少し静かになりますね」とフォルブレヒトさん。「コロナの一番の影響は、例年であれば年に11回開催されるイベントがすべてキャンセルになってしまったことです」。コロナウイルス感染症対策により、野外でも100人以上の参加者が見込まれるイベントの開催が禁止されてしまったためだ。

そこで出された代替案が先月10月に規模を縮小して実現した「ジャガイモ祭り」だったという。「人数制限をし、食べ物や飲み物を出す屋台スタンドをやめて開催することにしたのです。家族や少人数グループ単位による敷地内のジャガイモ掘りを中心に、プログラムを例年のものとは大きく変更しました」。そうすることにより、野外体験型博物館の持つ本来の意味に気付くことができたのだという。「集客力の大きな例年通りの形式ではなく、本来の意義に注目することでドメーネ・ダーレムの原点に戻れた気がしています」とフォルブレヒトさんはいう。

農園管理人へのインタビュー

農園管理人のハイアーマンさんは2ヘクタール分の野菜やハーブ栽培の責任者である。「ドメーネ・ダーレムの持ち味は訪れる人が実際に畑の側を歩いて、これは何という野菜だろう、と自然に疑問を持つ機会を得ること。直接的な学びの場を提供できるところにあると思います」。エコロジカルな農法にもとづき、今ではほとんど市場に出回ることのなくなった古い野菜を植えることも、それらの品種が実際に可視化され、野菜の存在が認識されることが大切なのだという。

ハイアーマンさんは、ドメーネ・ダーレムに来る前にはブランデンブルク州南部のラウジッツで実際に農家を営んでいたそうだ。「地方では農家は景色に溶け込んだありきたりなものですが、都市部に来た途端、非常に特殊な職業として扱われるように感じます。自分の仕事の話をすると、ベルリンで農業？　どうやって？　といった反応が多いですね」。しかし、近年のエコブームやコロナ禍で人びとの農業に関する捉え方が肯定的に変わったように思う、とそんな話になった。自給自足の需要性が高まり、個人がバルコニーで家庭菜園を行い、オーガニック製品を扱う店が軒並み増えていることから、人びとの「農業や食生活」に対する意識そのものに変化の起こっていることが分かる。「農業の大切さに人びとが気付き始めているのだと思います。私にとっては以前から価値のあるものだったので、とくに変化はありませんが」。

ドメーネ・ダーレムでは敷地内の生活環境を大切にしているのだという。畑で採れた作物を家畜の餌にしたり、作物の廃棄部分を捨てずにコンポストにしたりして、家畜の排泄物と混ぜて肥料にする。その肥料でまた次の作物が育つ。収穫された作物は敷地内のレストランで調理されたり、直販されたりする、といったようにたえず循環型サイクルを繰り返す。外部の肥料などは一切使用していないのだそうだ。掲載の写真はありふれたものであるが、徹底して自然の食物連鎖にこだわっているところがドイツらしい。

図 21-2：堆肥（筆者撮影）

図 21-3：コンポスト（筆者撮影）

ドメーネ・ダーレムは基金と１００％の子会社から成り立っているが、冒頭で触れたように年に10回以上も開催されていた大型イベントの中止により、別の資金繰りを模索中でもある。これまでの大きな収入源が断たれた状態にあるので、ベルリン市内のマーケットにも、野菜の販売ルートを確保したのだそうだ。そこを仲介とし、最終的には高級レストランへ販売網を広げようとしている。レストランに置かれるメニューには原材料の産地が記されているので良い宣伝にもなる。

ハイアーマンさんにも外を案内していただいた。ちょうど収穫された大きなフィルダークラウト（Filderkraut）という種類のとんがりキャベツをザウアークラウトにしているところだ、というので中をみせてもらった。研修生の３人がキャベツをスライス機にかけているところだった。「このザウアークラウトも塩、胡椒とクミンで味付けされて店頭に並ぶのです」。ドメーネ・ダーレムでは年に数名の研修生を受け入れている。ベルリン自由大学とも近く、学生が実習に来ることもあるのだそうだ。ドメーネ・ダーレムが「教育」を基本指針の第一に挙げているのがここでもよく分かる。

１９９３年に「環境ボランティア研修制度」（FÖJ：Freiwilliges Ökologisches Jahr）が制度化されたが、この制度は16歳から27歳までの

図21-4（右）：とんがりキャベツを持つハイアーマンさん（筆者撮影）
図21-5（左）ザウアークラウトを作る実習生（同）

若者を対象としており、1年間、環境ボランティア活動に関する実践研修を行うことを定めている。もともとドイツには、1964年に連邦法によって定められた「自由意志社会研修推進法」（FSJ：Freiwilliges Soziales Jahr）という、社会福祉に関するボランティア活動のための制度がある。これは個人の意思によって、厚生施設や福祉施設で1年間研修を受けることができるというもの。近年の環境に対する問題意識が高まったことを受け、「環境ボランティア研修制度」が始まったのである。

広々とした畑には多年生のハーブや、ベルリン市内のスーパーではみかけない古い品種の野菜をいくつかみることができた。納屋には収穫の終わったコールラビ、セロリの根などが入ったケースがたくさん積み上げられている。せっかくの機会なので、ポステライン（Postelein）というサラダ菜を入り口付近の直販店（Hofladen）で購入してサラダにしてみた。毎日の食事、その原材料がどこから来ているのか、もう少し意識してみる必要がありそうだ。

今回の取材で感じたことは、コロナ禍によってドメーネ・

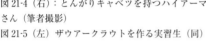

ダーレムも今後のあり方を模索中であるということだった。「私たちの存在意義も上書きが必要な時期にあるのです。この困難な時期を私たちはチャンスとして捉えています」。フォルブレヒトさんはそう締めくくった。

（希代真理子）

Ⅳ

「ベルリン名所」とその歩き方

22

シャルロッテンブルク宮殿

★エピソードが語る歴史★

創設者フリードリヒ1世

シャルロッテンブルク宮殿は、ブランデンブルク選帝侯＝プロイセン王フリードリヒ1世（1657～1713）が離宮として1695～1699年に建設した。当初はリーツェンブルク城と呼んでいたが、1705年に王妃ゾフィー・シャルロッテが若くして亡くなったので、その死を悼んで王は、この城をシャルロッテンブルク宮殿と名付けた。シャルロッテ妃はフランス語が堪能で、かつ聡明な人物として知られ、ベルリンに人文主義的な啓蒙主義の伝統をもたらした人気のある王妃であった。彼女はヨーロッパの伝統のサロンをベルリンで開き、数学や哲学でも知られる人文学者ライプニッツらと交流を持った。

この城が世界遺産となって、現在のベルリンの観光地として注目されるようになったのは、シャルロッテの孫にあたるフリードリヒ2世（大王）が宮殿を大改造し、ここを居城としたからといえるが、その功績の発端はやはり創設者のフリードリヒ1世にある。というのも、フリードリヒ1世は神聖ローマ帝国から独立し、プロイセン王国を誕生させたからである。先王フリードリヒ・ヴィルヘルムがフランスユグノーの受け入れを

第22章

シャルロッテンブルク宮殿

図22-1：シャルロッテンブルク宮

推進したが、その政策を継承し、プロイセン王国の首都として後のベルリンの発展の基礎を築くことができたのは、フリードリヒ1世のおかげであったからだ。

プロイセンのフリードリヒ1世も他のヨーロッパの王侯と同様、フランスのルイ14世を理想化していた。当時のヨーロッパでは、ヴェルサイユ宮殿は王侯たちのモデルであり、あこがれの的でもあった。シャルロッテンブルク宮殿は、これを念頭に置いて建てられたものである。その典型的な類似性としては、まずバロック庭園を挙げることができる。シャルロッテンブルク宮殿の庭園も、フランスのヴェルサイユ宮殿のバロック様式を手本にして設計・施工され、対称形を基軸とした55ヘクタールの広大な庭と噴水、植樹を特徴とする。しかしこの城をめぐるエピソードとして印象深いのは、「東洋磁器コレクション」である。

竜騎兵か景徳鎮か

シャルロッテンブルク宮殿の見学おいては、多くの観光客が異口同音に東洋の「磁器の間」がもっとも印象に残る

図22-2：シャルロッテンブルク宮殿のバロック庭園

という。現在でも図22－3のように、ところ狭しと東洋磁器の「景徳鎮」や伊万里などが展示されている。中国の景徳鎮を模倣してマイセン磁器をヨーロッパではじめて完成させたのは、あのザクセンのアウグスト強王（1670〜1733）であり、これはよく知られた歴史的エピソードである。しかし、ザクセンとプロイセンとの間に景徳鎮をめぐる前史があったことは知られていない。そのいきさつはこうである。

ザクセンのマイセンとプロイセンのベルリンを結ぶ人物として、錬金術師ベッドガー（1682〜1719）がいる。かれはもともと、ベルリンのフリードリヒ1世治世のもとで、錬金術研究に打ち込んでいた。しかし金が作れるという大言壮語が災いして、ベッドガーはベルリンを追われるようになり、1701年にマイセンへ逃亡した。それを拾ったのがザクセンのアウグスト強王であった。しかし、錬金術師の技術は当時の企業秘密であったので、ザクセンに逃げ込んでもベッドガーは厳しい監視下に置かれた。

アウグスト強王は、ベッドガーをマイセンのアルブレヒト城に隔離して、1704年頃に錬金術研究を進めて景徳鎮磁器を製造するよう促した。それはヨーロッパでは製造が不可能な磁器で、王侯の垂涎《すいぜん》の的であり、文字通り金を生み出す「打ち出の小槌」と考えられていたからである。こうしてベッドガーは試行錯誤を重ねながら、磁器の原料の「カオリン」が磁器製造のカギである

図22-3：東洋磁器コレクションの間

ことに気付いた。かれは「カオリン」をボヘミアのエルツ山地で入手し、これを1300度以上の高温で焼くという方法で、1709年にヨーロッパ初のマイセン磁器を誕生させるのである。その意味では、マイセン磁器の誕生の裏にはプロイセンとザクセンの深い因縁があったといえる。

マイセン磁器のルーツである東洋磁器、とくに景徳鎮や伊万里は、ヨーロッパ王室では特別の貴重品としてもてはやされていた。太陽王といわれたルイ14世は、外交政策の一環として景徳鎮磁器を各王室にプレゼントした。このような磁器に対する関心は、ヨーロッパ各国の王室へと広まり、各王室で景徳鎮の収集合戦が繰り広げられた。プロイセン王フリードリヒ1世もそのひとりであり、こうしてシャルロッテンブルク宮殿に王の磁器収集品を展示する部屋が設けられた。

図 22-4：ドレスデンの「竜騎兵の壺」

プロイセンのベルリンでは、前述のアウグスト強王が1717年に、シャルロッテンブルク宮殿の東洋磁器コレクションを目にし、プロイセン王に対抗心を示したという。アウグスト強王が提案したのは、自分の竜騎兵（銃を持った騎馬兵）600人と、白磁の151点の交換であった。時のプロイセン王は、フリードリヒ1世からその子のフリードリヒ・ヴィルヘルム1世に代替わりしていたが、プロイセン王はこの提案を受け入れ、奇妙な交換が成立している。それは、プロイセンが軍隊を重視する軍国主義的政策を採っていたことを物語る。こうしてザクセンでも、アウグスト強王は異様なほどの情熱を持って東洋磁器の収集をし始めた。交換した東洋磁器は、「竜騎兵の壺」としてドレスデンのツヴィンガー宮殿に現在も展示されている。

（浜本隆志）

23

ブランデンブルク門

★歴史の証人★

ベルリンの顔

都市には通常、顔となるシンボルが存在するが、もっとも有名なのはパリの凱旋門であろう。ベルリンでいえばそれは、ブランデンブルク門であることが衆目の一致するところである。この門は1870年の普仏戦争時には、戦勝の凱旋門の役割を果たしたし、1961年のベルリンの壁建設の際には門が壁の境界に位置していたので、分断のシンボルとなった。その後、1989年の壁崩壊時、そして1年後の1990年の再統一の日にも、ブランデンブルク門が和解のシンボルとして世界へ発信されたことは、人びとの記憶にまだ鮮明に残っている。

ヨーロッパの中世都市は市壁で囲まれ、これをブルク(Burg)といった。ハンブルク、ブランデンブルク、マグデブルク、ザルツブルクなど、都市の名前に付けられたブルクという名称も、都市の成り立ちを物語っている。中世では都市の出入り口の市門には門番がいて、都市を監視していた。昼間は通行できたが、夜間には門が閉ざされ、都市全体は砦のようになり安全性が保たれていた。ベルリンも双子都市(第30章参照)といわれていた創成時代から、市壁とヴェーザー川の支流で都市

図 23-1：ブランデンブルク門夜景

が守られ、ベルリンの発展とともに市壁は拡大されていった。

現在のブランデンブルク門は、１７９１年（正確には１７８８年着工、１７９３年完成）にブランデンブルク辺境伯領へ通じる関税徴収のために、ベルリンの中心部であったケルンとアルトベルリンからウンター・デン・リンデンを経て、ティーアガルテンに向かう街道の出発点に建設された。この先は、ブランデンブルク辺境伯領の首都ブランデンブルクへ通ずるという位置関係にある。当時、市壁拡大に合わせて、ベルリン市内の街道筋に18の関税徴収門も建設された（図23－２）。ただし近代の都市改造時にはこれらの市壁や市門は壊され、多くは道路に改装されるという経緯をたどる。ベルリンで残ったのはブランデンブルク門だけである。

さて門の建築時に話を戻すと、この歴史的なブランデンブルク門はフリードリヒ・ヴィルヘルム２世の命によるものであり、建築家カール・ゴットハルト・ラングハンス（１７３２～１８０８）に、ブランデンブルク門の設計建築が委託された。門のモデルは古代ギリシャ神殿のプロピュライア（聖域入り口門）であったといわれている。ベルリンのそれは大理石ではなく砂岩であるが、６本の円柱を前後に組み合わせ、合計12本のドーリア様式の柱が造る５つの空間は、門の威厳と存在感を強く主張している。

屋根にあたる中央部には、４頭の馬が引く2輪車に有翼の女神が乗り、ワシのシンボル旗を掲げている。これはクアドリーガ（4頭立て戦車）といわれ、飾りの文様が時代とともにいくつかの変遷を経てきた。まず創設当時の像は平和の女神エイレーネーであった。その後、フランスの英雄ナポレオンがベルリンへ侵攻し、１８０６年にここを占領したが、ナポレオンは飾りのクアドリーガと女神像を戦利品としてフランスへ運び去った。

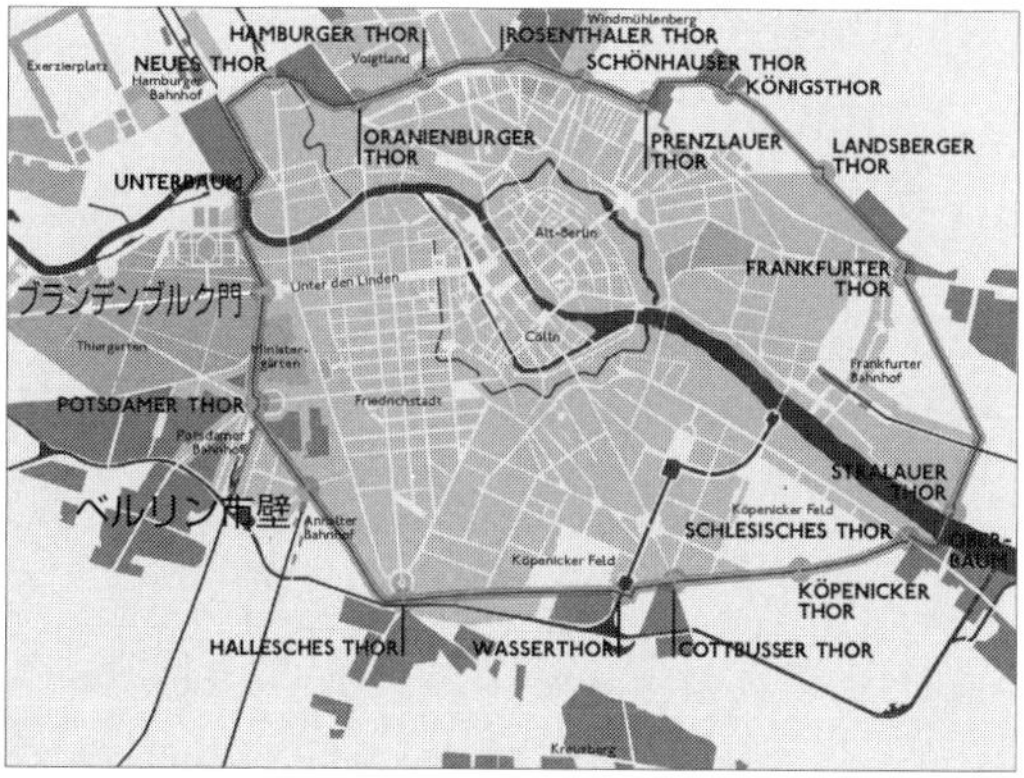

図 23-2：建設された18の関税徴収門

やがて１８１３年の「諸国民の戦い」にナポレオンが敗れて失脚すると、プロイセンは１８１４年にパリから女神像を帰還させた。それは文字通り、対ナポレオン戦争の勝利と凱旋の目玉であった。その際、ナショナリズムの盛り上がりによって、シンボル像は平和の女神エイレーネーから勝利の女神ヴィクトリアに変えられた。しかも女神が持つシンボルが月桂樹から鉄十字とワシになった。ワシはもともとブランデンブルク選帝侯（辺境伯から皇帝を決める選帝侯へ昇格、いずれもワシをシンボル）の紋章、十字はドイツ騎士団総長章のシンボルであったが、平和の女神から勝利の女神への変更は、その後のドイツのナショナリズムや軍国主義化を暗示するものであったと解釈できる。

第二次世界大戦後、前述のようにブランデンブルク門が旧東ドイツ管轄に組み込まれると、西ドイツ側は残っていた資料をもとにクアドリーガを複製し、東ドイツ側へ寄贈した。しかし東ドイツ側は、ワシと鉄十字のシンボルが社会主義建設にふさわしくないという理由で、平和のオリーブのリースに戻した。ところが再統一後、元の鉄十字とワシの紋章にさらに変更されて現在に至っている。このような変遷をみると、このクアドリーガのヴィクトリア像のシンボルが、深い政治的意味を持っていたことが分かるのである。

なお、ブランデンブルク門からエーベルト通りを南に100メートルほど行けば、通称「ホロコースト記念碑」がある。ここには、第二次世界大戦中に犠牲になったユダヤ人を悼む2711ものコンクリート製の石碑群が並んでいる。ベルリンを分断していた壁の跡地が建設場所に選ばれ、ヒトラーが自殺した退避地下壕の近くというのも因縁を感じるが、この碑は、第二次世界大戦の人種主義によって虐殺されたユダヤ人の歴史を想起させる、強いメッセージを発信している。

（浜本隆志）

24

博物館島のペルガモン博物館

★ベルリンにある遺構★

博物館島（Museumsinsel）

ベルリンの観光名所は多いが、もっとも人気のあるスポットは博物館島（ムゼウムスインゼル）という、文教地区である。ここはシュプレー川とその支流に囲まれた中洲の一角であるが、ユネスコの世界遺産となっている。建設は最初、フリードリヒ・ヴィルヘルム3世が1810年に提唱し、24年から工事が始まったが、もともとは王のギリシャ・ローマ美術品のコレクションの展示場建設を目的としていた。

その後、フリードリヒ・ヴィルヘルム4世に事業が引き継がれ、次々と博物館が建てられた。掲載した図24－1の左の手前から、旧博物館、新博物館、旧ナショナルギャラリー、ボーデ博物館、ドームのあるベルリン大聖堂、最近建設された右上のフンボルト・フォーラムなどが集まっている。

これらの中でもっとも知られているのは、ペルガモン博物館である。この博物館の展示物のうち、バビロニアのイシュタル門と小アジア、ペルガモンのゼウスの大祭壇は特筆すべきみどころであるので、ここで採り上げよう。というのも、多くの博物館の展示が遺品をショーケースに入れて展示するという方

図 24-1：博物館島

法であるのに対し、イシュタル門やゼウスの大祭壇は、遺跡がそのまま現地にあったように再現され、展示されているからである。ただし現地から遺跡の多くをベルリンへ運び、それを復元・展示する方法は、たとえ略奪という手段でなかったとしても、賛否両論があって適切なものであるとはいえない。遺跡の発見された場所に戻すべきであるという意見は当然、説得力を持つ。

イシュタル門

まずペルガモン博物館のイシュタル門は、ドイツの考古学チームが１８９９年からバビロニア発掘調査を行い、現在のイラクで１９０２年に発見した。イシュタル門はバビロニア城壁門のひとつで、紀元前５７５年に建設された門の遺跡が丸ごと、第一次世界大戦を挟んで、ドイツへ運び込まれ復元されたものである。ただしその経緯の中で、オスマン帝国の末期のどさくさに、略奪したわけではないとはいえ、イギリスの許可を得た上でドイツに搬入した経緯には、ヨーロッパ帝国主義という時代背景がかかわっており、先述のように遺跡返還問題が解決されたわけではない。現在、イラクにあるのがレプリカで、ペルガモン博物館の展示物が本物というのは歴史の皮肉というしかない。

巨大なイシュタル門は、１９３０年にここの博物館で再現された。青い釉薬《うわぐすり》レンガを背景に動物のレリーフが鮮やかに浮かびあがる門が、博物館の見物客を出迎えてくれる。古代バビロニアの４つ

図 24-2：イシュタル門

図 24-3：ライオンのレリーフ

の門のうち、これは女神イシュタルにちなんで命名されている。それに続く側壁のライオン文様は女神イシュタルのシンボルであったが、その上下が図のように花で飾られている。修復・再現されたものとはいえ、往時を彷彿とさせる貴重な文化財である。

ゼウスの大祭壇

もうひとつペルガモン博物館の最大の展示物は、ヘレニズム時代（紀元前2世紀頃）のゼウスの大祭壇である。これは１８６４年に、ドイツ人技師カール・フーマンが現在のトルコのベルガマで発見し、１８７８年からドイツの調査隊が当時のオスマン帝国のスルタン（国王）の許可を得て発掘し、ベルリンへ移送したものである。レリーフを施して再構築された祭壇は、全長１１３メートルもあり、現場を訪れてまぢかにみると、その規模の大きさに度胆を抜かれてしまいそうになる。第二次世界大戦後、この文化遺産は占領したソ連軍がレニングラードへ搬出したが、後に旧東ドイツに返還された。さらに現在のトルコ政府は海外に持ち出された文化遺産を返還するよう要請しているが、文化財の帰属の問題はペルガモンのゼウスの大祭壇のケースやその他でも、容易に解決しそうにない。もともと

図 24-4: ゼウスの大祭壇

ペルガモン博物館の遺跡ないしは収集品の搬入は、ちょうどドイツ帝国主義が海外への進出を考えていた時期と符合する。同様に博物館島の「新博物館」には至宝、エジプトのネフェルティティの胸像も展示されていてとくに有名であるが、これもエジプト政府による返還運動が起きている。とりわけ胸像の入手経路は不明瞭で、簡単に決着をつけにくい問題を内包している。先進国で保存・管理した方が文化財保護になるという論拠は、現在では正当性を持ち得ない。同様な問題はイギリスの大英博物館、アメリカのメトロポリタン美術館、フランスのルーブル美術館でも発生している。

（浜本隆志）

25

フンボルト・フォーラム

★複合民族博物館★

フンボルト・フォーラムの前史

ドイツ再統一を経て、それまで西側のダーレム地区にあったベルリン国立民族学博物館や同アジア美術館の展示物がプロイセン文化財団の傘下に入り、旧東側の博物館島のフンボルト・フォーラムに統合され、ようやく一箇所に集められることになった。これも一種のベルリン統合といえるが、名称はベルリン大学創設にかかわったフンボルト兄弟の名にちなむ。さらにフンボルト・ラボと呼ばれるフンボルト大学の研究施設もここに置かれている。この章では、新たに博物館島のアンサンブルに加わったフンボルト・フォーラムについて簡単に触れておきたい。

目抜き通りのウンター・デン・リンデンを挟んでベルリン博物館島の向かい側にあるのが、フンボルト・フォーラムである（第24章図参照）。ここは非ヨーロッパの文化財を収集していることで知られる。この複合文化施設はベルリン王宮跡に再建された。図25－1は敗戦直後の1946年の東ベルリンの様子だが、戦火によってベルリン王宮も甚大な被害を受けたものの、何とか外観は崩れずに残っている状態であった。修復すれば保存

図 25-1：ベルリン王宮（1946）

できたはずの王宮はしかし、東ドイツ政府によってプロイセン軍国主義の象徴とみなされ、１９５０年に取り壊されてしまった。

ベルリン王宮跡地に、東ドイツ政府は共和国宮殿（Palast der Republik）を建設した。これは「エーリヒ（ホーネッカー議長の名前）のランプ店」などと国民からは揶揄されたが、東ドイツ時代の支配体制のシンボル的な意味が込められていた。ところが東西ドイツ統一後に、この共和国宮殿も議論の末、撤去されることになった。２００６年から解体作業が開始され、２００８年末にようやく終了した。共和国宮殿が解体されるのは個人的には残念な気がしたものだが、２０００年以降変化のスピードが爆発的に加速を続けるベルリンでは、ゆっくり感傷に浸っている暇などないのだ。常に変化する街、それがベルリンだといえるだろう。

ベルリンは歴史に翻弄され続けてきた街であるが、このベルリン王宮やその跡地はまさに変化の象徴的な建造物、そして場所のひとつである。このような紆余曲折はあったが、構想から18年もの歳月をかけて完成したフンボルト・フォーラムは、２０２１年の7月中旬にようやく一般公開の日を迎えた。

フンボルト・フォーラムの展示物

アレクサンダー広場に面した東側のファサードは無機質な現代建築だが、中に入ると、出入り口のファサードはバロック建築様式で当時の再現がなされているという、ユニークな構造になっている。パサージュ（通り抜け道）からは、ルストガルテンにある旧博物館が背景にみえており、これはベルリン大聖堂や美術館島と調和した豪華なアンサンブルをなしている。

図25-2：対岸のシュプレー川から見たベルリン大聖堂と手前の旧東ドイツ共和国宮殿（1995年頃、筆者撮影）

さて展示物の話に移るが、ベルリンの中心地といった象徴的な場所だけに、展示のコンセプトには十分な配慮がみられる。時事問題のテーマである「難民」や「グローバル化」、「すべての人に開かれた対話のための場所」といったキーワードがフンボルト・フォーラムのサイトには並んでいる。ただしここでも物議を醸しているのが、かつてのドイツ帝国主義や植民地政策とかかわりのある展示物が多くあることだ。

とはいえ、「民族学博物館」のコレクションを再調査して見直しながら展示する方法も試みられている。たとえばポスト植民地時代という視点から、ドイツとタンザニアのパイロットプロジェクト・チームによる出所調査がその一例だ。こうしてタンザニアからベルリンに運び込まれた1万200点以上のコレクションを選別し、共同調査が実施されている。

図 25-3、4：フンボルト・フォーラムのサイトより

たしかにこれらの大半は、東アフリカでドイツが列強と競い、植民地を拡大・支配していた時代にベルリンに運ばれたものだ。しかしそれとは別に、純粋に民族学的に貴重な資料も多い。調査結果はデジタル化され、無料で閲覧できるようになるという。このように過去の歴史と向き合い、それぞれの対象国と共同の研究やワークショップなども積極的に行っていく意向である。

フンボルト・フォーラムは、これらのアジア美術館と民族学博物館のコレクションを中心に展示されている（図25－3）が、自然や環境をテーマにした「自然によると」（Nach der Natur）などの企画もある。さらにベルリンと世界の関係が具体的に体験できるようにしたテーマや展示もある。

筆者もオープン以降、子どもたちを連れて何度か足を運んだが、展示やホールのデザインを始め、インタラクティブ（双方向型）の展示方法が多用されているため、子どもから大人まで年齢を問わず分かりやすく楽しめる工夫が施されているという印象を受けた。また、居心地の良いカフェやビストロ、コンセプトショップなどが併設されており、非常に満足度の高い博物館になっている。年間約３００万人の訪問者数を誇る博物館島に生まれた、新たな観光スポットとしてもより多くの来客が見込めそうだ。ベルリンの歴史やドイツの植民地政策などを振り返りつつ、未来を見据えたさまざまなダイアローグ（対話）が交わされる希望のある場所になることを期待したい。

（希代真理子）

26

ベルリン・フィルハーモニー物語

★伝統と革新★

建築家シャロウンとフィルハーモニーの大ホール

音楽に興味のある人であれば一度は足を運んでみたくなるのが、ベルリン・フィルハーモニーだろう。1963年に現在の場所にオープンして以来、この拠点はベルリンの音楽の中心地となっている。当時は東西ベルリンを隔てていた壁のすぐ側に位置していた。再統一後は、新生ベルリンの中心部にランドマークのひとつとして溶け込んでいる。

当初は「カラヤン・サーカス」と揶揄されていた特徴的な黄色い屋根を持つ建築と、斬新なアイディアに溢れるコンサートホールも、今では世界中のコンサートホールの模範となっている。1920年に建築家のハンス・シャロウンは、すでに理想とする劇場空間像の構想を抱いていた。そして、構想から35年後にベルリン・フィルハーモニーの大ホールの設計が実現することになったのである。

ハンス・シャロウンは、設計の早い段階から音響学者のローター・クレマーに協力を要請していた。当時、ベルリン工科大学の技術音響研究所の所長だったクレマーは、シャロウンの基本構想にはじめは懐疑的であった。彼は専門的な見地から「オーケストラを中央に持ってくることは避けるべきで、音響的に複雑になる可能性がある」ことを指摘せざるを得なかったという。しかし、シャロウンは自分のアイディアを貫き通した。結局クレ

図26-1：ベルリン・フィルハーモニーの大ホール入り口

図26-2：ベルリン・フィルハーモニーの内観（筆者撮影）

マーの方も学者として、新コンサートホールは魅力のある研究テーマであったため、最終的には依頼を引き受けることになった。そして音響テストのために9分の1の大きさでホールの模型が作られ、さまざまなデータが集められた。こうして革新的な大ホールが完成したのである。

ベルリン・フィルハーモニーのドイツ的特性と国際性

カラヤン指揮のオープニングコンサート以来、ベルリン・フィルは偉大な指揮者、ソリストとともに数々の素晴らしいコンサートを聴衆に提供してきた。指揮者の小澤征爾氏が著書『ボクの音楽武者修行』の中でカラヤンについてこう語っている。「お国柄の違いは大いにある。カラヤンは上品で気さくで親切だ。しかし偉大さがいつもどこかに体臭のようについているので苦手だ」。同じように、ドイツのオーケストラについても「指揮棒を止めた瞬間にみんなシーンとして、指揮者が何をいうかを聞くための態勢になる。いわゆる団体としてのお行儀がすこぶるいい」。そしてまた、「ベルリン・フィルハーモニーは、極端にいえば、どんな指揮者が指揮しても、ベルリン・フィルハーモニーの持つアンサンブル、ベルリン・フィルハーモニーの持つレベルというものは崩れない」と、オーケストラとしての安定感について語っているのが非常に興味深い。土地柄やお国柄というドイツ的特性は、機能性の高いアウトバーンや整然とした街並みだけでなく、オーケストラのアンサンブルにまで共通するものなのだろうか。

たしかにベルリン・フィルハーモニーの団員はドイツ人が大多数を占め、外国人は2割程度にすぎない。しかし戦後の指揮者は、ドイツ人のフルトヴェングラーのあと、カラヤン（オーストリア）、アバド（イタリア）、ラトル（イギリス）、ペトレンコ（ロシア）と国際色に富む。次期指揮者はベルリン・フィルハーモニーの団員によって選挙で決められているのだ。なお樫本大進氏が2010年からコンサートマスターを務めているのは有名な話である。

ベルリン・フィルハーモニー管弦楽団は、安定感のあるどこか生真面目なオーケストラであるが、ベルリンでオペラやクラシックコンサートに一度でも足を運んだことのある人は、そのカジュアルさに驚かされるはずだ。ベルリンで観劇などを楽しむのに、ドレスコード（服装のルール）はあってないようなレベルである。筆者もベルリン・フィルに幾度となく演奏を聴きに行っているが、ジーンズ姿の人もいれば正装の人まで、それはもういろんな服装の人びとを目にすることができる。これは、たとえばウィーンやパリ、モスクワなど、その他の都市では考えにくいことだろう。

ベルリンと文化事業

ドレスコードの低さはおそらく、文化的なものを提供する側の態度や文化全般に対する敷居の低さにも、どこか関係しているのではないか。近年ではベルリンの美術館・博物館の入館料、コンサートのチケット料金もかなり上がってきているものの、カテゴリーによってはまだ日本では考えられないような価格帯でベルリン・フィルの奏でる一流の音楽を楽しむことができる。この姿勢は週に1度の無料コンサートの提供や子ども、ファミリー向けのコンサートやワークショップの料金にも表れている。

筆者も長女が幼児だった頃には、週に1度行われていた無料のランチコンサートに度々連れていったものだ。まだハイハイをしていた娘は音楽をバックに階段を上り下りしたり、2階のカーペットが敷かれたフロアで思い切り遊んでいたのを今でもよく覚えている。このように赤ちゃん連れにも非常に寛大で、観客も気軽に音楽を楽しむ雰囲気がそこにはある。ベルリンに住んでいていいなと思うのは、良質の文化を身近に享受できるところなのかもしれない。

2020年のコロナウイルスのパンデミック化で、ベルリンの文化施設も長期間の閉鎖を余儀なくされたり観客の動員数が激減したりと、かなり厳しい条件にさらされている。ベルリン市はこういった事態にも、大規模な支援策などで迅速に対応してきた。ベルリンという街にとって、文化事業は経済活動と同じくらい有益なものだという自負があるからだろう。

（希代真理子）

27

ドイツ国会議事堂

★生きた歴史博物館★

民主主義の象徴

ベルリンの観光地で訪れておきたい場所として、ドイツ国会議事堂が挙げられる。この議事堂は1871年のドイツ統一（ドイツ帝国）後、永らく建設が待たれていたが、ヴィルヘルム2世の時代になって、10年の歳月をかけ1894年にようやく完成したものだ。そのため国会議事堂はドイツ語でReichstag, そのまま訳せば帝国議会議事堂、通称ライヒスタークと呼ばれている。国会議事堂はブランデンブルク門のすぐ側のシュプレー川沿いに建っているが、さまざまな歴史をくぐり抜けた非常に象徴的な建造物だ。

国会議事堂は、ドイツ帝国からワイマル共和国時代は下院の議事堂として機能したが、ヒトラーの政権奪取後、1933年に炎上（231ページ参照）した。その後は建物だけが残り、再建が未定のまま約50年もの間、無残な姿をさらしながら放置されてきた。

ドイツ再統一後、僅差でベルリンが首都に復帰することになるが、議事堂の必要性もあって、1995年から建物の改装が始まり現在の姿によみがえった。国会議事堂は歴史の変遷を経ているが、建物正面のファサードにある碑文「Dem Deutschen Volke ドイツ国民のために」のように、民主主義の象徴とされている。

筆者が「ベルリンに住んでみたい」と、明確な目的もなくベルリンにやってきたのが、国会議事堂の改装年の1995年4月のことだった。当時、日本でビザ申請に行く日に阪神・淡路大地震が、その数カ月後に東京で地下鉄サリン事件があったのをよく覚えている。日本ではバブルが崩壊し、それまで溜まっていた膿のようなものが溢れ出す時期だったのかもしれない。とにかく筆者はバブル時代の日本にはそれほどうまくなじめなかったので、一度国外へ出てみたくなったのだ。

当時のベルリンは1990年に再統一を果たしたとはいえ、まだ壁崩壊後の空気感が街のあちらこちらに残っていた。旧東ベルリン側はどこを歩いても灰色で、バルコニーが崩れ落ちてきそうなほど荒廃した建物も目立ち、そこら中の空き家や廃屋でイベントが行われていた。ドイツの首都であり都会のはずなのに、中心地には壁跡の広大な空き地が広がり、せかせかした空気などどこにもなかった。はじめて訪れたベルリンは、日本の都会とはどこか対局にあるように思え、壁崩壊後からまもない街の持つ独特な雰囲気に強く惹かれた。

布に包まれた国会議事堂

ベルリンへ移住してから数カ月後、当時通っていた語学学校のクラスメートと国会議事堂前の広場でピクニックをすることになった。ニューヨークを拠点に活躍していた芸術家夫妻のクリストとジャンヌ＝クロードによる、壮大なアートプロジェクトがここで行われていたためだ。政治の象徴ともいえる国会議事堂を布で梱包するという、前代未聞の大掛かりなアートプロジェクトに驚かされた。当時の国会議事堂にはまだ現在のようなガラスドームも増設されていなかった。

　このアートプロジェクトの構想は実はすでに1971年から始まっていた。1976年の2月にクリストははじめて、交渉のために当時の西ベルリンを訪れる。そしてその後、何度も何度も国会議事堂の使用に関する許可申請を繰り返すことになる。やがてベルリンの壁が崩壊するが、それをクリストはアートプロジェクトが「希望と民主主義の信念の表現になる」好機だと捉えた。

　銀色に輝く布と青いロープを用いて、その象徴的な建造物を包むというアートプロジェクトについて、夫妻は「国会議事堂への布の使用は、古典的な伝統にしたがったものである。布は衣服や皮膚と同じように壊れやすく、無常という独特な性質を表現する。堂々とした構造物の特徴と形状を際立たせ、国会議事堂の本質を明らかにした」（サイトからの引用）と述べている。

図 27-1：プレナリーホールと呼ばれる本会議場（筆者撮影）

図 27-2：ガラスドームを歩く（筆者撮影）

　ベルリンの街は、壁を隔てて「冷戦時代」の前面に立たされていた。壁の崩壊を受けて、それまでのイメージを払拭するために、ドイツ連邦議会がこのプロジェクトにゴーサインを出したのかどうかは分からない。しかし、たった14日間のアートプロジェクトを一目みようと500万人もの人びとが集まった。これはベルリンという街の今後のあり方を考えるきっかけを与えてくれたアートプロジェクトだったようにも思えるのだ。

国会議事堂を訪問する

国会議事堂が現在の姿になったのは、1999年の4月。イギリスの建築家サー・ノーマン・フォスターによってガラス張りのドームが増築された。筆者も何度か議事堂のドームの中を歩いたことがあるが、とても開放感のある造りになっている。屋上からはベルリンの街並みがよくみえる。また、ドームの下に位置している議会の様子が覗ける設計になっており、その位置関係は国民主権を暗示している。ガラス張りの議場に自然光が取り入れられ、ドームのガラスは太陽の動きに合わせて角度を変えるため直射日光は議場に入らないが、常に自然光が入るよう設計されているのだ。このように開放感溢れる設計と、一般訪問者にも会議の様子を公開することで、開かれた透明性のある議会政治を象徴しているのが、連邦議会の入っている国会議事堂の役割でもある。

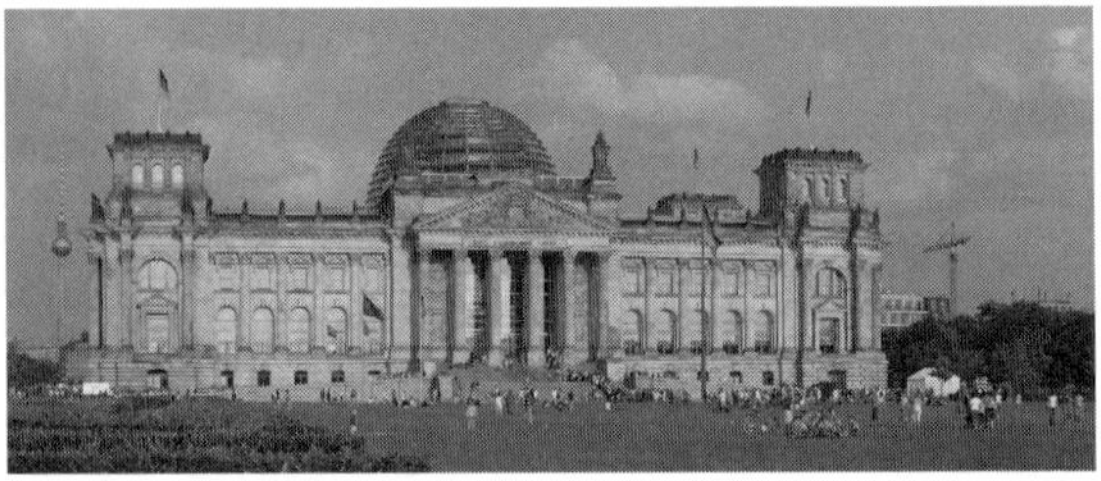

図 27-3：現在の国会議事堂

筆者がアートをメインにしたガイドツアーに参加した日は、2月初旬の寒いよく晴れた日だった。

テレビ向きに映える紫色のシートが並ぶ本会議場の一般聴衆席に座ってガイドの方の話を聞く。冷戦が終わってからまだ30年と少し。建物内には第二次世界大戦で受けた銃弾やソ連軍による当時の落書きなども保存されていた。それから数週間後、ロシアがウクライナに侵攻したというニュースに愕然とすることになるとは、そのときは夢にも思わなかった。

今日の世界情勢を考えても、「平和な日常」というものがどれほど危うい均衡の上で成り立っているのかということに気付かされる。そういう意味においても、この歴史上、非常に重要な建物を訪れる価値があるように思えてならない。歴史とは何か、民主主義とは何か。芸術と政治の関係は。少しでも考えるきっかけになるのではないだろうか。ガイドツアーの終わりに紹介された本棚には、子ども向きのものも含め無料で配布されている各種資料がたくさん並んでいた。

国会議事堂の訪問は、議事堂の上にあるガラスドームだけではなく、このようにアートや建築、歴史的なテーマを中心としたもの、家族や子どもを対象にしたものなどが少人数制で企画されている。これらのガイドツアーは事前に予約するだけで無料で参加できるので、ベルリンに来る機会があれば是非一度足を運んでみてほしい。

（希代真理子）

28

観光名所となったベルリンの壁

★分断の歴史の象徴★

現在のベルリンの壁

ベルリンの壁が崩壊してから30年ほどが過ぎた。壁は世界的に有名な歴史的シンボルになり、今ではベルリンの観光名所のひとつでもある。壁の崩壊当初は、各人がノミとハンマーで西側の絵が描かれた部分を削り取って持ち帰ったり、小さなビニール袋に入れて観光客におみやげとして売っていたりしていた。その後、一部は後述するように世界各地へ運ばれたものもあるが、残りの大部分の壁は撤去・粉砕され、道路舗装用材として再利用された。

しかし記念物を大切にするドイツでは、壁の一部がギャラリーや資料館併設の記念碑として保存されている。本来、壁の絵は西側だけのもので、東側はむき出しのコンクリートのままであった。

保存されたもののうち有名なのは、シュプレー河畔のミューレン通りの一画である。これは長さ1・3キロメートルにもおよび、「イーストサイド・ギャラリー」と名付けられている。そこには世界的に話題になった、東ドイツのホーネッカー書記長とソ連のブレジネフ書記長のキスシーンのカリカチュアを始め、各国のアーティストが描いた絵が多数保存されている。これをみた人は、壁によって東西ドイツが分断されていた時代を想起することができる。

もうひとつはベルナウアー通りにあるベルリンの壁記念館と壁跡である。こちらは、当時の壁の様子が後述の「死の境界線」や警備兵の配置されていた塔なども含め、位置関係が再現されているので分かりやすい。資料館の上から壁を見下ろすことも可能だ。東ベルリンから西ベルリンに逃れるために作られたトンネルの跡なども表示されている。

図28-1：イーストサイド・ギャラリー

筆者は1993年にはじめてベルリンを訪れた。街の中心にある広大な空き地だったポツダム広場で数多くの壁の残骸を目にしたとき、その壁の低さと薄さに驚いた。打ち捨てられた鉄筋コンクリートの壁が想像よりも頼りなくみえたからだ。「こんな薄っぺらい壁1枚で人の流出が防げたのだろうか」と首を傾げた。しかしベルリンの壁は、鉄筋コンクリートの壁が単に一重に建てられただけではなかった。

壁と壁の間は「死の境界線」(Todesstreifen) と呼ばれ、東側の段差の付けられた更地には地雷が埋められ、警備兵の自動小銃が向けられていたという。その後ろに、有刺鉄線や仕掛けケーブルに触れると散弾を発射する対人地雷、さらには2つ目の壁が設置されていたところさえある。こうして二重の壁で挟まれた数十メートルにおよぶ無人地帯は、未踏の地となった。そこで野生のウサギが自由に飛び跳ね、

図 28-2：ベルリンの壁記念館（筆者撮影）

図 28-3：壁跡のオブジェ（筆者撮影）

繁殖したという話が残っているくらいだ。今やこの緩衝地帯は緑地となり、一角には日本人の募金による寄贈の八重桜の並木もある。

壁をめぐる芸術作品も多く制作された。テーマは自由を封殺する壁と、それにもかかわらず、自由を求める人間ということであるが、壁はまさしく分断のシンボルとして、多くの人びとのこころを捉える。東側から壁を乗り越えたり、地下へ穴を掘ったりして、西へ脱出しようした人びとのうち、一説には136人が命を落としたという。ただし記録されていないケースもあり、その実数は定かではない。

チェックポイント・チャーリー

ベルリンが分割されていた当時、アメリカ軍が統括していた検問所跡が、有名なチェックポイント・チャーリーであった。名前から何か由緒あるエピソードがあるのかと誰しも思うが、そうではなく当時8つあったチェックポイントの、アルファベットのCにNATOの音声コードの「チャーリー」を当てただけのことである。ここを通って、多くの日本人観光客も一日ビザで東ベルリンへ観光旅行をしたと聞いている。

現在、ベルリン中心部のフリードリヒ通りに、かつてのチェックポイントが再現され、図のように1960年代のアメリカ軍の土嚢を積んだ小屋をみることができる。検問所のすぐ側に壁建設の年に創立された「壁博物館」は東ドイツの壁建設に反対の意思を示したことなどでも有名である。ここにはベルリンの壁をめぐる記念写真、遺品が展示されているので、一見の価値がある。

同じフリードリヒ通りにある検問所でも、西ベルリン市民になじみのあったのがフリードリヒ通り駅にあった検問所、通称「涙の宮殿」(Tränenpalast) である。ここはすべての外国人および西ベルリン市民を対象にしていたため、常に混雑していたという。こちらでも2011年以降、常設展が開かれ、当時の検問所の様子やドイツの分断に関する展示をみることができるようになった。「涙の宮殿」という名前の由来は、自由に西側へ行き来できなかった東ドイツ人が西ドイツからの訪問客を涙なしには見送れなかった、というところから来ている。

図28-4：チェックポイント・チャーリー跡

図28-5：「涙の宮殿」跡

世界中で展示されているベルリンの壁

西ベルリンの周囲を囲っていた壁は、壁の崩壊後、不必要なモノになった。全長約156キロにおよぶ大量のコンクリートの壁は、平和の象徴や歴史的遺物として個人や企業が買い取るだけでなく、各国の大使館や文化施設などに寄贈された。有名なのはニューヨーク国連本部、

図 28-6：世界各国に分布する「ベルリンの壁」

朝鮮半島の統一の願いを込めてソウル、ユダヤ人国家イスラエルなどへの寄贈である。日本でも横浜にあるドイツ企業の支社や大阪の統国寺の境内、沖縄のドイツ村などで壁をみることができる。

たしかに壁の崩壊は世界中の人びとを熱狂させたが、ハッピーエンドを迎えたわけではない。ドイツ国内でも「東」と「西」の問題は厳然と存在する。この「こころの壁」の問題は49章で採り上げる（269ページ参照）が、記憶に新しいところでは、前アメリカ大統領のトランプがメキシコとアメリカの国境線上に築こうとした「トランプの壁」が有名である。直近では、フィンランド政府がロシアとの国境にフェンスなどの障害物を設置できるよう、国境法の改正を計画している。このように、現在でも壁の問題は喫緊の政治の課題となっている。たしかにベルリンの壁は崩壊し、冷戦時代は終焉したようにみえるが、世界では新たな壁が生まれているのである。

（希代真理子）

29

ベルリンの名所の歩き方

★街巡りのオススメ★

ベルリンの名所と地下鉄5番線

この章でご紹介する「ベルリン名所」は、どちらかといえばクラシックな「観光地」が中心だ。場所もそのほとんどはミッテ区に集まっている。以下、簡単ではあるが、お勧めの歩き方をご紹介したい。

ブランデンブルク門（23章）から国会議事堂（27章）までは、フィルハーモニーを除いてほぼすべてウンター・デン・リンデン通り沿いにある。アレクサンダー広場から中央駅まで、2020年に新しく延長した地下鉄5番線を利用すると便利だ。気候の良い季節なら散歩がてらに歩いて移動するのも悪くない。ベルリン市内にはシェアリングバイクやキックボードなどのサービスも充実しているので、これらを移動手段としてうまく活用するのも一案だ。以下に地下鉄5番線の一部の駅とその周辺の観光地の見取り図を挙げておこう。

これらのクラシックな観光地を中心に回りたい人には、ミッテ区のアレクサンダー広場やハッケシャー・マルクト周辺のホテルやアパートの利用が便利だ。ハッケシャー・マルクト駅周辺には、ハッケシェ・ヘーフェを始め、気の利いたショップや

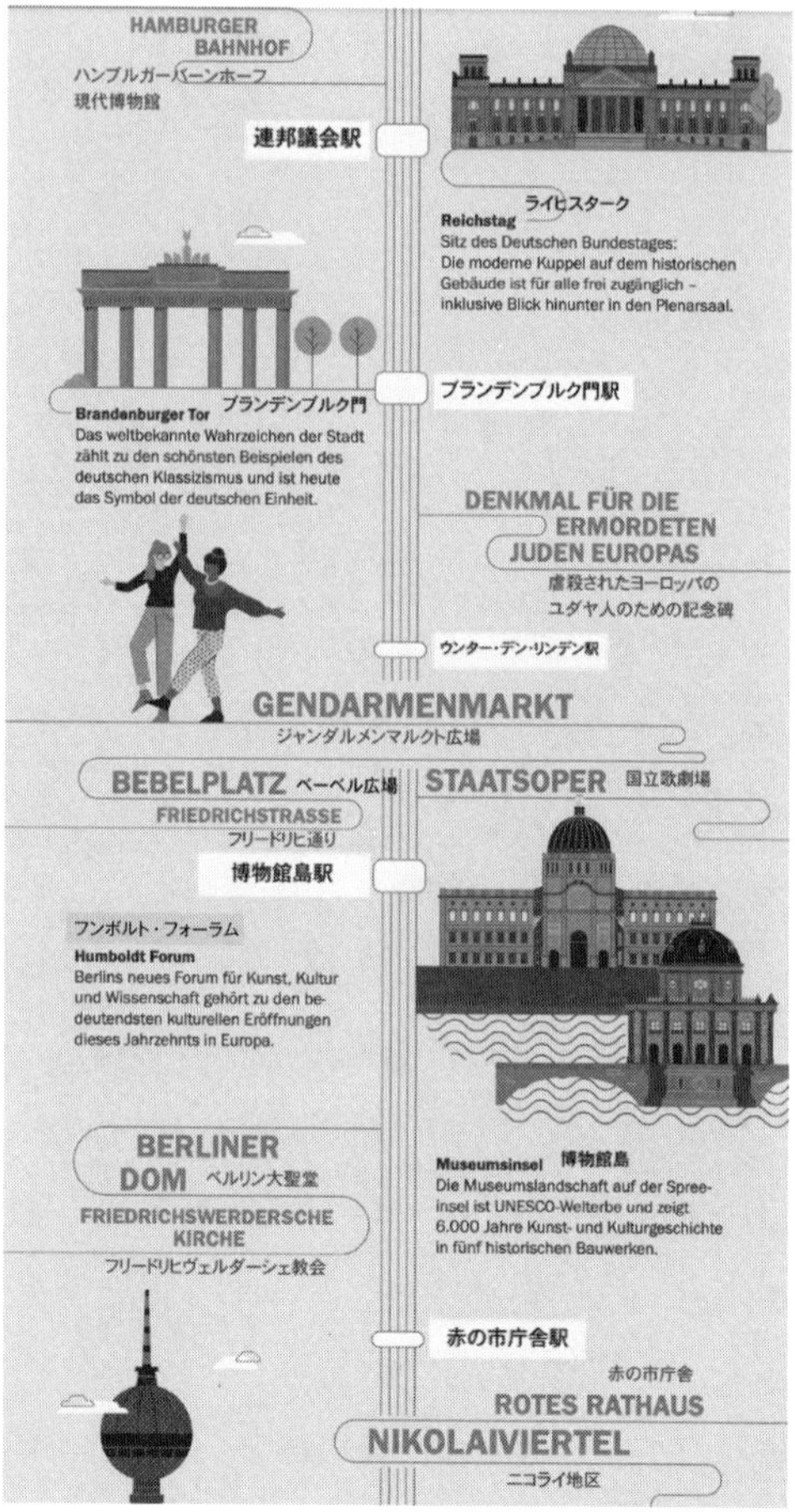

図 29-1：新しく開通した地下鉄 5 番線沿いの観光案内

カフェに加え、クンストヴェルケという現代美術センターやアートギャラリーなども集まっている。

ポツダム広場周辺

ベルリン・フィルハーモニーの近くには、文化フォーラムと呼ばれる一角にヨハネス・フェルメールや、ピーテル・ブリューゲル、ルーカス・クラーナハなどの作品が展示されている絵画館もある。

ここには、とくに13世紀から18世紀のヨーロッパ諸国の数々の芸術品が収集されている。再オープンした新ナショナルギャラリーも必見だろう。ここは6年の歳月をかけて改修工事が行われ、２０２１年の8月に再オープンしたが、改修工事のモットーは「できうる限りミースらしさを」(So viel Mies wie möglich.) というものだ。ミースとは、バウハウスの第3代校長も務めたルートヴィヒ・ミース・ファン・デァ・ローエ (Ludwig Mies van der Rohe) のことで、かれの設計で１９６８年に完成した建築を指す。直線的な構造と大きなガラスが特徴的なシンプルな設計で、見応え十分である。近くにはティーアガルテン公園も広がっているので、時間に余裕があれば別の日にゆっくり訪れてもいい。

動物園駅周辺

シャルロッテンブルク宮殿は、前述のクラシックな観光地より西側に位置しているので、たとえば同じく西側にあるベルリン動物園や、クーダムと呼ばれるショッピング街の老舗百貨店 KaDeWe と組み合わせることも可能だ。動物園と隣接しているビキニ・ベルリンと呼ばれるコンセプトショップに足を運んでみてもいいかもしれない。２０１４年にオープンしたが、建物から動物園の猿山がみえるようにと設置された大きなウィンドウが印象的だ。また、動物園駅のすぐ側にはC／Oベルリンというフォト・ビジュアルメディアの展示スペースもある。

「キーツ」を散策する

ベルリンには12の区があるが、それぞれの区に「キーツ」と呼ばれる特徴的なエリアがあり、その

図 29-2：新ナショナルギャラリー（筆者撮影）

あたりをブラブラ歩いたり、カフェやレストランでゆったりとした時間を過ごしたりするのもいいものだ。筆者もはじめてベルリンを訪れた際に、偶然知り合った人から「ベルリンは旧東側が面白い。コルヴィッツ広場のあたりを歩いてごらん」と教えてもらったことがある。あの助言がなければ出会えなかった人もいただろうし、ベルリンという街に対する印象もずいぶんと違うものになっていたはずだ。そういう意味においては、「観光地」以外の一見何もない街角を歩くことは街を知るためには欠かせない。

クロイツベルク＝フリードリヒスハイン区ならマイバッハウーファーの運河沿いの道やボックスハーゲナー広場周辺を、プレンツラウアー・ベルク（パンコウ区）ならコルヴィッツ広場周辺を、テンペルホーフ＝シェーネベルク区であれば市場の立つヴィンターフェルト広場周辺やテンペルホーファー・フェルト（88ページを参照）を散策するの

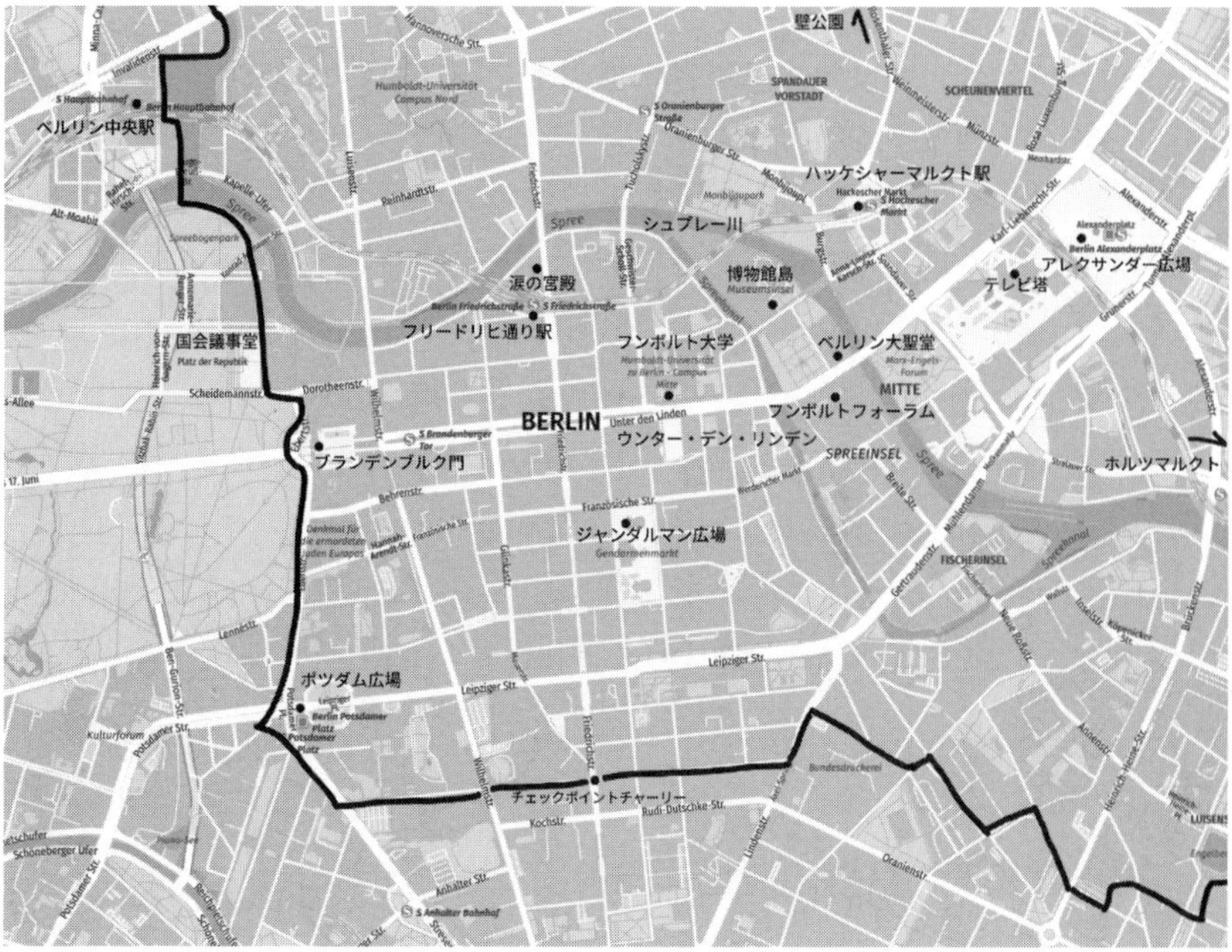

図 29-3：ミッテ区（旧東ベルリン）略図　太線はベルリンの壁跡

もお勧めである。ベルリンは大きな街だが、このようにそれぞれの区に「キーツ」と呼ばれるエリアが存在する。これらのキーツには地域住民に愛されるカフェやレストランが多く集まっている。ここを歩くことで、かれらの日常生活を垣間見たり、身近に感じることができるかもしれない。ベルリン市民のそれぞれが、独自の「キーツ」を持っているからだ。

　コロナ禍が収束してまた自由に旅行ができるようになったときには、是非一度ベルリンをゆっくりと散策してみてはいかがだろう。ベルリンはロンドンやパリのような分かりやすい観光地ではないかもしれない。ここに引用した地図だけでは分かりにくいが、興味のある方は地名を手

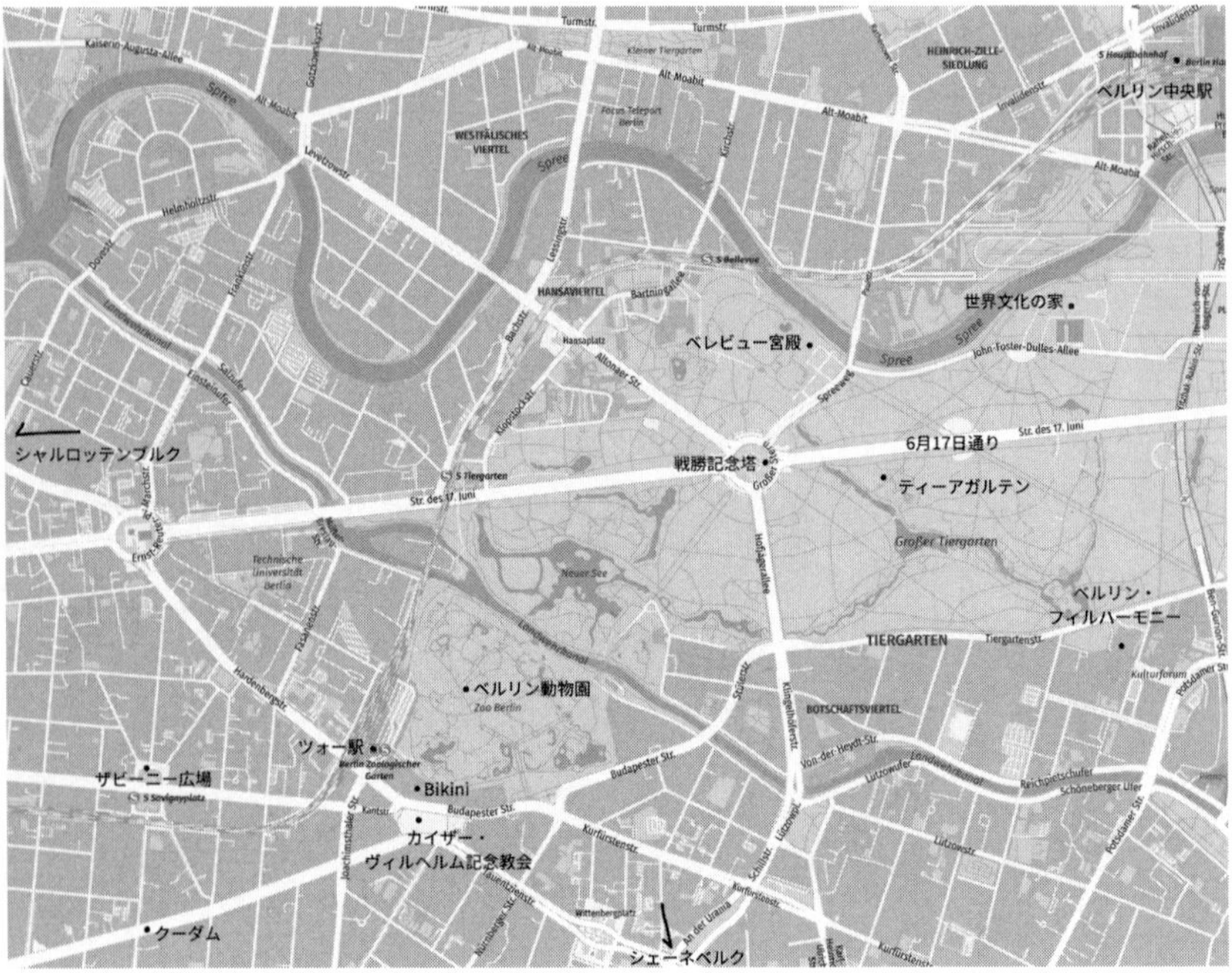

図 29-4：ベルリンの西部（旧西ベルリン）略図

がかりにキーツを探索するのも一興だろう。自分のペースでゆっくりと歩くことでみえてくる街の日常の景色を楽しんでほしいと思う。

（希代真理子）

V

ベルリンの歴史、辺境から政治の中枢へ

30

ベルリンの誕生

★双子都市★

双子都市ベルリンと市壁

辺境の地ベルリンは、すでに比較的早くキリスト教化され、異教徒と対峙していた。神聖ローマ帝国は東北の辺境を守るために、1157年にブランデンブルク辺境伯領を創設した。この地域を制圧したアスカーニエン家のアルブレヒト（1100頃～1170）が神聖ローマ皇帝から新設の辺境伯に任じられた。

これがベルリン誕生の母体となる前史であるが、ドイツ史にベルリンが正式に登場するのは1237年である。この地域にはそれ以前から、スラブ系のヴェンド人と古プルーセン人が植民しており、周辺には異教徒も多く混在していた。ここはもともとシュプレー川の合流地点に人びとが住む村落から発展し、川の水運を利用して交易が行われていた要衝の地であったからである。

創設時のベルリンは双子都市といわれ、1250年の想像図（図30－1）でみるとよく分かるが、東側の旧ベルリン地区（右）と西側のケルン地区（左）に分けられ、川を天然の要害として2つは一種の島となっている。ただし歴史的にはケルン地区が古く、この名もラテン語の移住地、植民地を表す colonia

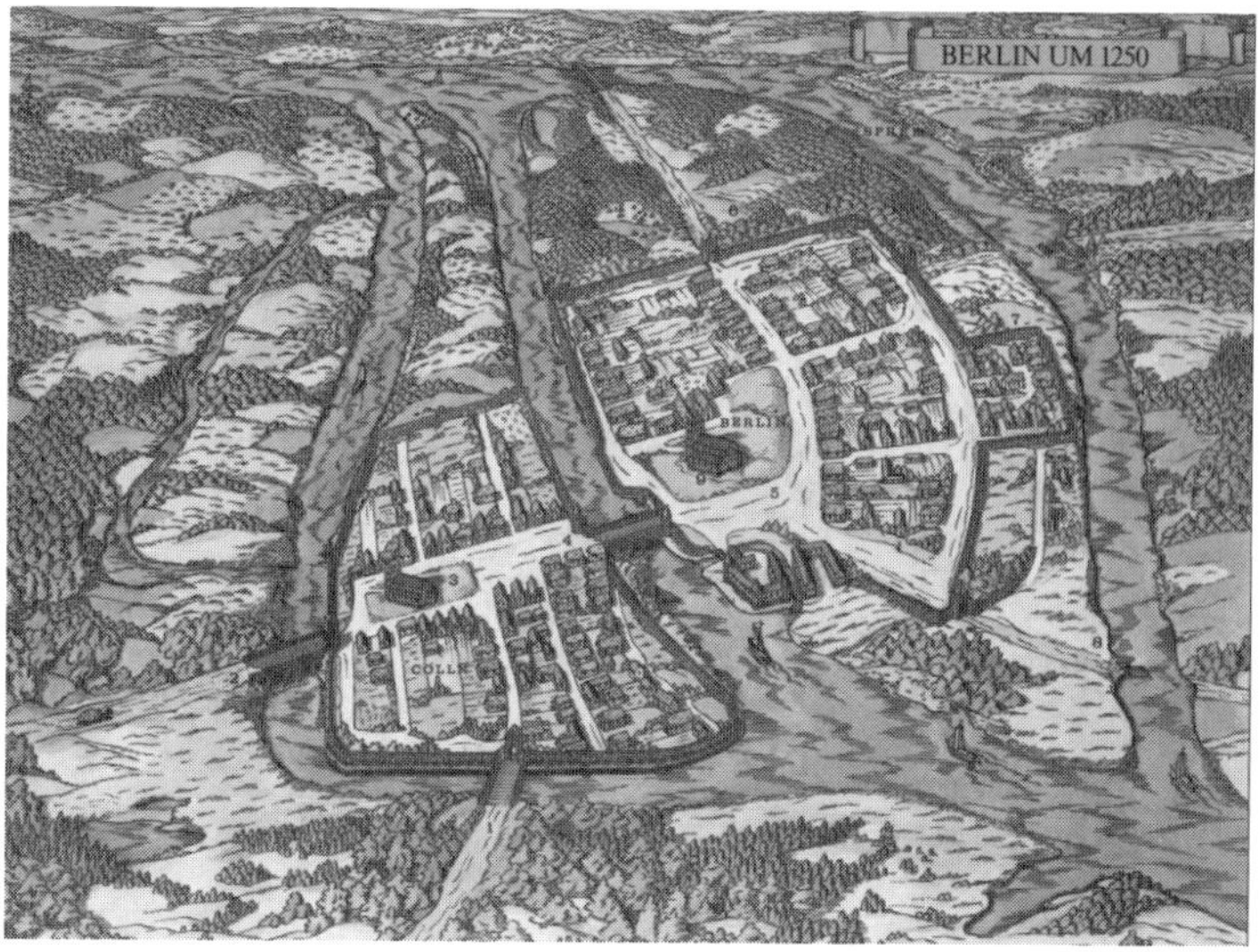

図30-1：1250年の双子都市、ケルンとベルリンの想像図

と推定されている。なお現在のベルリンという名は、この地域に西スラブ系の住民が多かったので、かつて湿地帯の地域をスラブ語でberl-といっていたのが語源であるという説が有力である。語源をめぐる説のうち、市の紋章がクマであるので、そこからの類推でベルリンのBer-がベアBär-（クマ）から来ているという説は否定されている。

ケルン地区にはすでにキリスト教の聖ニコライ教会が建てられ、双子都市には中世都市の典型のように、さらにそれぞれ周囲に市壁をめぐらせていたことが分かる。市壁は日本の都市と異なり、ほとんどのヨーロッパ都市の基本構造であるが、都市や市民の防衛や連帯に不可欠なもので、その後ここを中心核とし市壁を拡大しながらベルリンは発展した。

１２３７年に歴史に姿を現したベルリンは、やがて１３０７年に隣接していた双子都市と合併し、同盟化したという。興味深いのは双子都市がめぐりめぐって、現代の西ベルリン、東ベルリンの分割を経て約680年後に再統合されたという歴史の連鎖である。東西ベルリンの壁は偶然築かれ、破壊されたものではなく、双子都市ベルリンの長い歴史の遺物であったのだ。

ベルリンの印章と紋章

ベルリンの発達は当時用いられていた印章からも跡付けられる。ヨーロッパでは印章は契約の証拠として生まれ、その後、紋章が成立したという歴史的経緯がある。ベルリンの最古の印章はワシがシンボル化されていた。それは当地を支配していたアルブレヒト選帝侯の家紋がワシだったからである。ワシは天空を飛び、王者の風格を具えていたので、王侯貴族に好まれたシンボルであった。

図30－2のように1253年のベルリンの印章は、教会と砦をワシが防衛しているという構図で描かれている。1280年の構図は紋章学の影響を受け、中央部のワッペンの中にワシを、その上にヘルメットとヘルメット飾りを描いている。さらに中央のワッペンの左右にサポーターとしての2匹のクマが、ワシを恐れるように描かれている。なぜクマなのかについては、初代辺境伯がクマ公アルブレヒトと呼ばれており、この構図からおそらくクマ退治で名を馳せていたことが窺える。この頃から、Berlin の Ber- が先述の Bär—(クマ)を連想させるので、クマがデザインに登場したものと考えられる。バックグラウンドの文様は、木の葉をシンボル化したもので、これも森に住むクマをイメージしていると解釈される。

1338年から1448年までの印章をみると、いずれもワシとクマの両方のシンボルが描かれている。ただし、ワシが首輪をはめたクマをコントロールし、あくまでワシが主、クマが従となっている。単独でクマがベルリンの都市紋章となるのは、ベルリンがブランデンブルク辺境伯領から脱し、プロイセンの首都となってからである。周知のように現在、めぐりめぐってワシはドイツの国章に、クマはベルリンの市章になっている。

（浜本隆志）

1253 年

1280 年

1338 年

1448 年

図 30-2：中世ベルリンの印章

31

ブランデンブルク辺境伯領とドイツ騎士団国

★「北の十字軍」からルター派へ★

ブランデンブルク辺境伯領と「北の十字軍」

ブランデンブルク辺境伯領は1157年の創設後、しだいに勢力を拡大していくのであるが（図31－1）、やはり異教徒との戦いが喫緊の課題であった。辺境伯領はその東側にポーランド王国が隣接するという位置関係にあった。当時のポーランドは、キリスト教化されていたけれども、君主コンラート1世（1187?～1247）は周辺からの異教徒の侵入に手を焼いていた。そこで神聖ローマ皇帝の内諾も得たコンラート1世は、1226年にドイツ騎士団（騎士修道会）に北の防衛と異教徒のキリスト教化を委託した。他方、ブランデンブルク辺境伯領でも異教徒との戦いが重要であったので、防衛はドイツ騎士団に依存した。

ドイツ騎士団は異教徒をキリスト教徒化する使命に燃えており、南方へ派遣された十字軍とルーツは同じであった。しかし、これは北方の辺境の地では「北の十字軍」とも呼ばれ、その歴史は複雑である。もともとヘルマン・フォン・ザルツァ総長（1165～1239、図31－2）は、聖地奪還を目指した南方十字軍出身であった。対イスラーム戦線から帰還し、一時期ハンガリー王国が支配していたトランシルヴァニア地方（現ルーマニア）に活動場所を見出す。しかしそこを追放され、神聖ローマ皇帝フリードリヒ2世の配下に入って活動をしていた。ザルツァが率いる騎士団は、その頃神聖ローマ帝国やポーランド王国からの要請で、北方の辺境の地へ移動するという経緯をたどった。

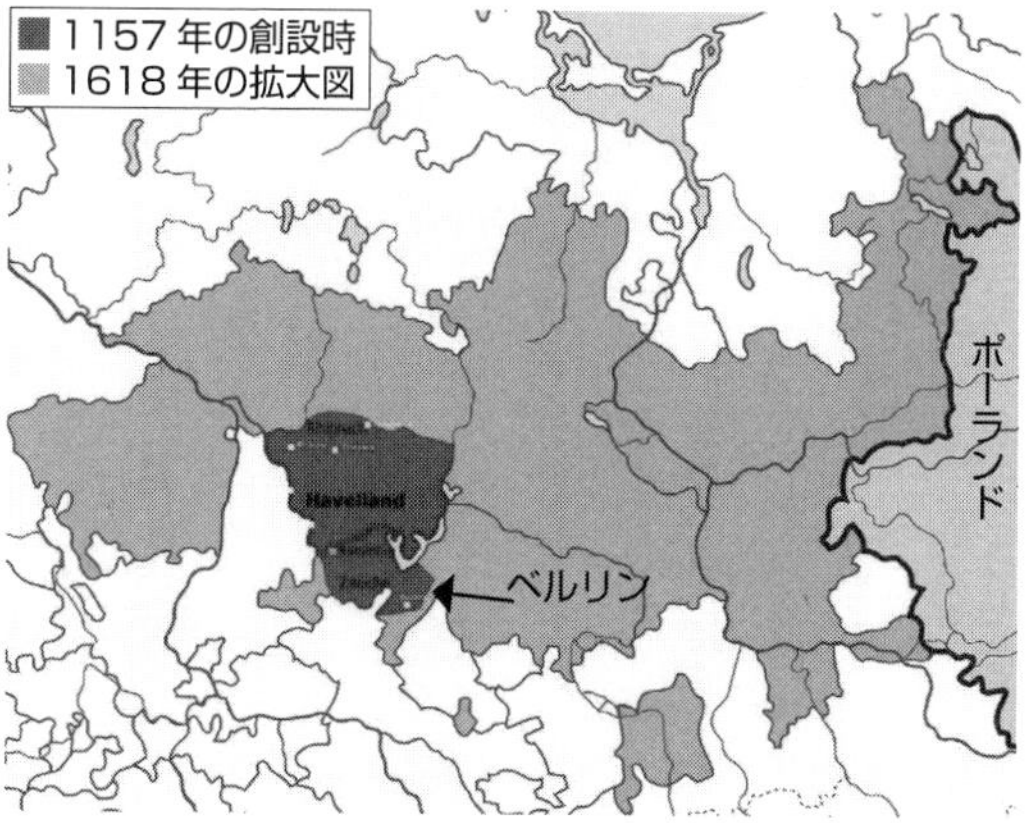

図31-1：ブランデンブルク辺境伯領の展開

こうしてドイツ騎士団は、「北の十字軍」として異民族をキリスト教化させるための任務に就いた。かれらは1232年に、現在はポーランド領のクルムへ侵攻し、ここに要塞マリーエンブルク（マルボルク）を建設する。ザルツァらはローマ教皇のお墨付きを獲得して、東プロイセンにドイツ騎士団国家を建設した。（図31－3）さらに周辺国のリヴォニアの刀剣騎士修道会も吸収併合して勢力を拡大する。1308年マリーエンブルクを首都とした騎士団国は、繁栄を謳歌した。

ハンザ同盟とベルリン

1320年に辺境伯のアスカーニエン家が断絶すると、当時のベルリンは辺境伯領から距離を置き、1360年に北方のハンザ同盟に加わった。ただし内陸のベルリン

図 31-2：騎士団総長：ザルツァ

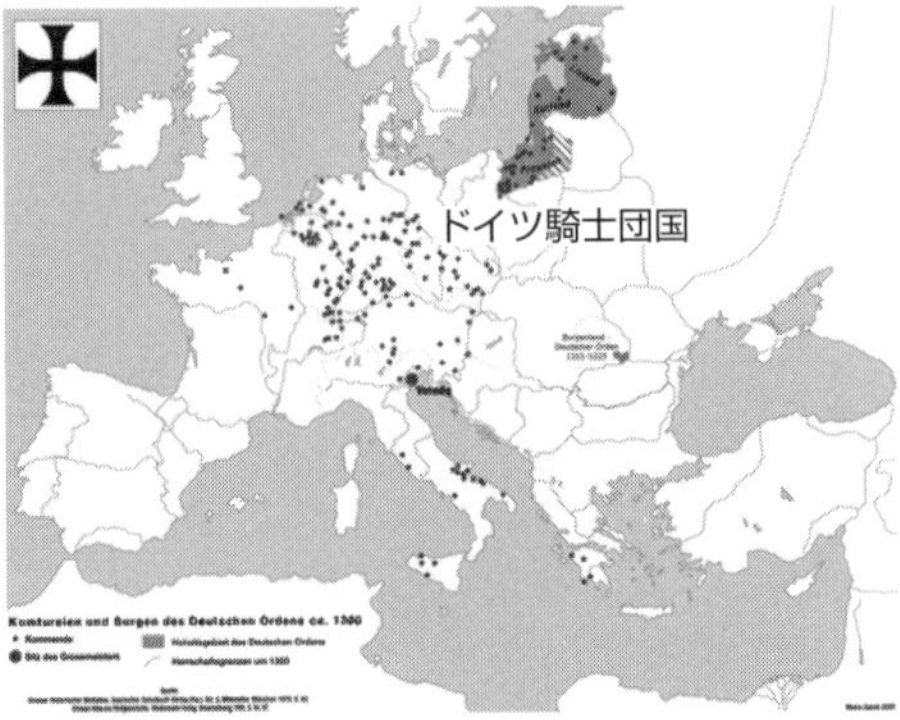

図 31-3：ドイツ騎士修団の拠点分布（1300）

は、海洋に面したリューベックやハンブルクのようにハンザ同盟の中心都市ではなかった。ベルリンはシュプレー川を利用した舟による交易を行ったが、元来、ハンザ同盟は常備軍を持っていなかった。したがってベルリンは皇帝直属の「自由都市」でなく、自治権を持つ都市となるが、それは防衛に不安定な立場であった。

１４１５年にホーエンツォレルン家のフリードリヒが辺境伯に任じられた。そうなると「自治都市」ベルリンはその後、辺境伯によって自治権を抑圧されるようになり、ブランデンブルク辺境伯領内のベルリンは、ハンザ同盟から離脱せざるを得なくなった。１４４０年当時の双子都市ベルリンは、人口約８５００人を擁し、市庁舎、教会、修道院、ホスピス、辺境伯の館を構えていた。１４４６年頃からベルリンは辺境伯の中心的な都市に変貌していく。しかしブランデンブルク辺境伯領の内実も、その後変化していくのである。

表31-4：ブランデンブルク辺境伯領からプロイセン王国成立までの略史

ブランデンブルク辺境伯領 1157〜1618	ドイツ騎士団（北の十字軍）国 1226〜1525
	プロイセン公国 1525〜1618
ブランデンブルク＝プロイセン 1618〜1701	
プロイセン王国（1701〜　　） ↓	

ブランデンブルク＝プロイセンの成立

１４４３年にベルリンに王宮が築かれ、ここがやがて実質的に王都としての機能を持つようになったが、この頃キリスト教内に大きな変化が生まれた。近代初期のヨーロッパでは、ルターがプロテスタントの狼煙《のろし》（１５１７）を上げ、キリスト教宗派の分裂によってカトリックのローマ教皇の力が弱体化した。その影響を受けて、もともとカトリックであったドイツ騎士団のアルブレヒト・フォン・ブランデンブルク＝アンスバッハ総長がルター派に改宗し、プロイセン公国を創設（１５２５）したので、この国はカトリックと断絶状態になった。こうして神聖ローマ帝国の中にプロテスタント国家が誕生した。当時の慣例では領主の信仰する宗派が領民の宗派になったからである。

宗教改革はベルリン史においても大きな地殻変動を引き起こした。ドイツ騎士団が統括するカトリック国家から、プロテスタントのプロイセン公国が成立したからである。それは騎士団国家から通常の領邦国家への衣替えをも意味した。その後、この流れの中で決定的であったのは、１６１８年のブランデンブルク辺境伯領とプロイセン公国の併合である。これをベルリン史ではブランデンブルク＝プロイセンと呼んでいる。

これまで述べたベルリンをめぐる歴史において、ブランデンブルク辺

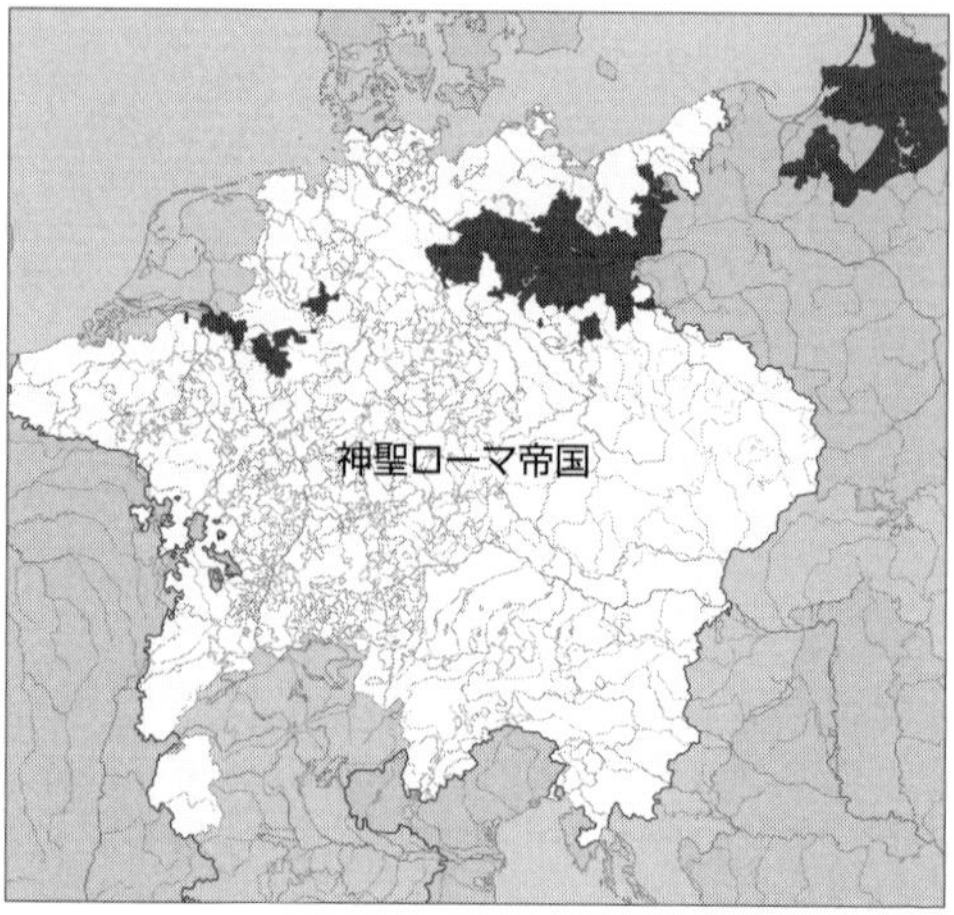

図 31-5：1618 年創設時のブランデンブルク＝プロイセン（図の■の部分）

境伯領、ドイツ騎士団国、その後継のプロイセン公国、ブランデンブルク＝プロイセンの成立は複雑であるので、年号を交えて分かりやすく図表示すると、表31－4、図31－5のようになる。

ヨーロッパは、その後勃発した三十年戦争（1618～48）によってひどく荒廃した。これはドイツのカトリックとプロテスタント、フランスのブルボン家と神聖ローマ帝国のハプスブルク家、さらにスウェーデン、デンマークを巻き込んだ大戦争であった。プロイセン公国は辺境の地であったので、戦争自体の被害はそれほど深刻ではなかったが、それでもベルリンでは多くの住居が破壊され、市民たちは兵士として戦場に駆り出された。長年にわたる戦争と疫病の流行、飢餓などによって、ベルリンも結果的には大きな被害を受けた。たとえば1600年には1万2000人であった双子都市ベルリンの人口が、三十年戦争終了時の1648年には6000人に文字通り半減している。これは戦争による荒廃がいかにひどいものであったかを物語るものである。

（浜本隆志）

32

ユグノーの受け入れ

★三十年戦争の後遺症★

ユグノー戦争とベルリン

カトリック国フランスでも1542年からユグノー戦争が始まり、カトリックとユグノー（プロテスタント）の宗教戦争が激化して、これは1592年まで尾を引いた。その後も、両者の確執は続いたが、1685年に国王ルイ14世は、宗教寛容を謳った「ナントの勅令」を廃し、カトリックの立場からユグノーを追放し始めた。この宗教政策は、ヨーロッパ規模で大きな経済的・文化的な地殻変動をもたらした。フランスを支えていた商工業者、文人たちの多くはユグノーであったが、それらの流出はフランスの国力を割くものであり、受け入れた集辺国にとってそれは大きな経済効果をもたらした。

この流れの中で、1685年にブランデンブルク＝プロイセンのフリードリヒ・ヴィルヘルムは「ポツダム勅令」を公布し、すぐさまフランスのユグノーの受け入れを了承した。同時期にユグノーだけでなくユダヤ人も受け入れたが、ベルリンの歴史の中で圧倒的多数のユグノーの受け入れは、とくに大きな経済的・文化的インパクトを与えるものであった。ユグノーは同じプロテスタントの会派であり、宗教的寛容の精神の原点がここ

図 32-1：ユグノーを受け入れるフリードリヒ・ヴィルヘルム

にあるからだ。受け入れた背景として、北の辺境に接している地域は三十年戦争によって荒廃し、人口が減少していたことが挙げられる。ベルリンでは人口増が喫緊の課題であり、沈滞した経済を立て直すことが求められたからである。

ブランデンブルク＝プロイセンには、約2万人のユグノーが移住してきたと見積もられ、そのうちベルリンは約6000人を受け入れた。驚くべきことにホスト国は、フランスで貴族であった者にはそれに見合う待遇をし、法的、社会的な権利を保障したことである。さらにギルドの技術を認め、商人たちだけでなく農民でも有利な条件で就業できた。仕事のあっせん、住宅の提供、教会の設立と、いくつもの優遇施策を講じている。ユグノーはブランデンブルク＝プロイセンの経済発展に計り知れない寄与をしたといえよう。

17世紀のユグノーの受け入れがもっとも目立った事例であったが、当時のプロイセン公国のフ

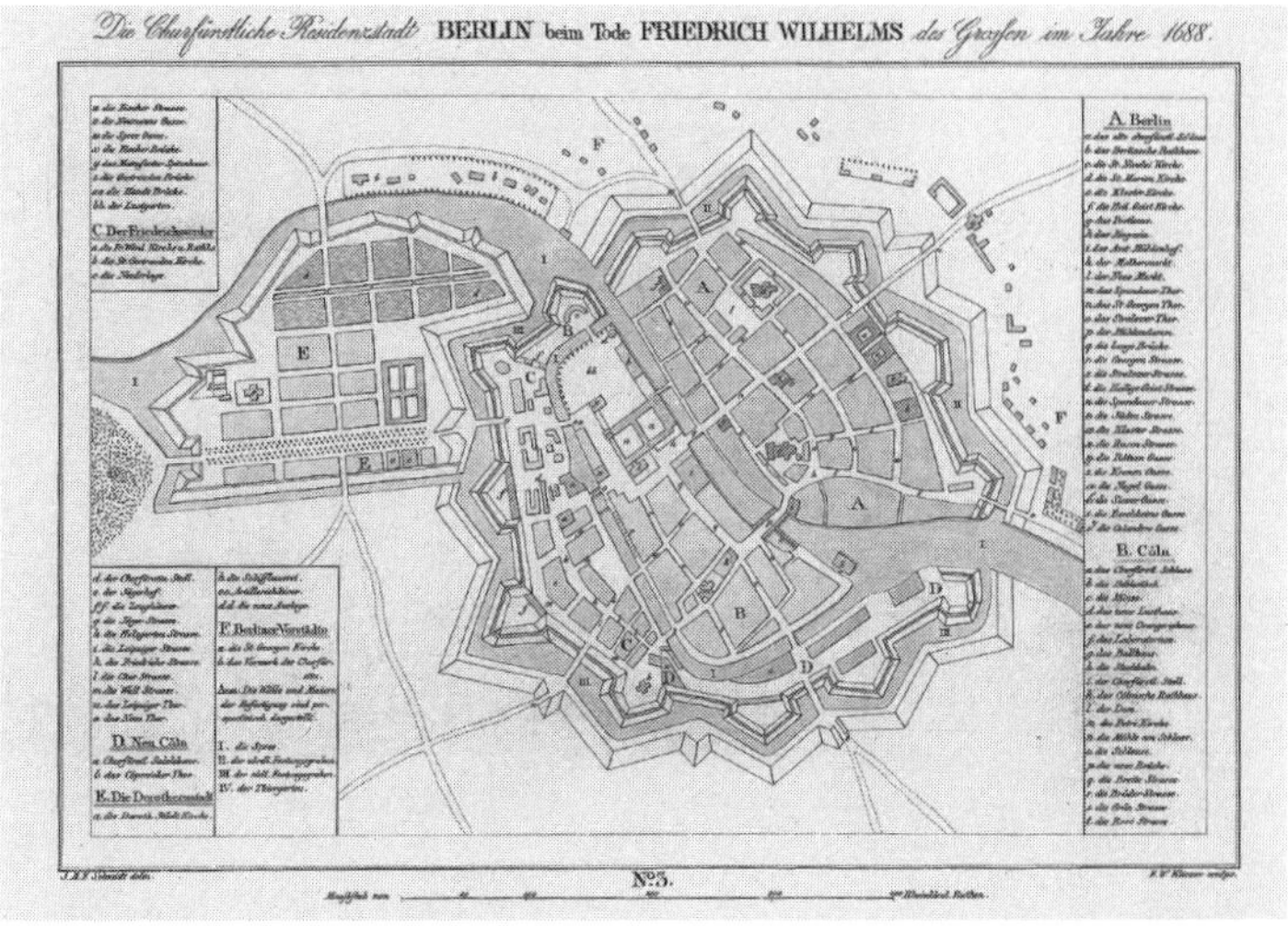

図 32-2：1688 年の城郭都市ベルリン

リードリヒ・ヴィルヘルムはユグノーだけでなく、神聖ローマ帝国から追放されたユダヤ人も受け入れた。その中には豊かなユダヤ人も多く、人口減に悩まされていた公国には、人材が必要であったという時代背景もある。これは多文化都市ベルリンの経済的発展の原動力ともなった。そのベルリンの進取の気性は現代ベルリンにも受け継がれていったといえよう。

　君主フリードリヒ・ヴィルヘルムは、三十年戦争の経験から都市防衛の重要性を認識し、外敵の備えに神経をとがらせた。図32－２は三十年戦争後の１６８８年のベルリンの地図であるが、この時代の特徴である星形防塁を備え、シュプレー川を利用した堀を設けている。というのも中世の市壁の構造では大砲によって容易に破壊されたため、壁は星形に変形して防御力を高めたのである。これはフリードリヒ・ヴィルヘルムがオランダの城郭技師を招聘し、１６

図 32-3：ベルリンのフランス大聖堂（現在）

50年から83年にかけて完成させた。これをみれば、ベルリンは13の星形と川によって守りを固め、この頃市街地が西方にも拡大していることが分かる。

さて移住してきたユグノーにとって、重要なものは教会であった。そこでルター派とユグノーの合同教会として、各地に宗教的な拠点が築かれた。1701〜05年にかけて、プロイセンでもフランス大聖堂が建設され、それは現在のベルリンのフランス大聖堂として再建され、ユグノー博物館もその内部に併設されている。

（浜本隆志）

33

2つの顔を持つプロイセン王国

★軍国主義と啓蒙主義★

プロイセン王国の成立

プロイセンのブランデンブルク選帝侯フリードリヒ3世は、1701年にフリードリヒ1世として戴冠し、プロイセン王となった。前年のウィーンにおける選帝侯会議において、フリードリヒ3世は、スペイン継承戦争への軍隊の派遣を条件に、王としての戴冠が承認されたからである。ただし神聖ローマ帝国内では形式上、王は1人であったので、オスト（東）プロイセンも領有していたブランデンブルク選帝侯は、神聖ローマ帝国の枠外のプロイセン王というかたちで戴冠が認められたのである。したがって戴冠式は、オストプロイセンのケーニヒスベルク（現ロシア領のカリーニングラード）で挙げざるを得なかった。プロイセン王国の容認という背景には、神聖ローマ帝国が名目的な統合国家でしかなかったという、その弱体化を示すものであった。

こうして1701年の1月18日、厳冬にもかかわらず、新しくできたプロイセン王国はオストプロイセンのケーニヒスベルクで、王の戴冠式を挙げたが、新王のフリードリヒ1世はブランデンブルク選帝侯領と飛び地オストプロイセンを統合し、王国の実質的な都をベルリンにした。これは後のベルリンの発展にとって大きな決断であった。

1701年5月に、ベルリンでも盛大な王国成立の祝賀会が開催され、その後、王宮のあったベルリンは、シャルロッテンブルク宮殿を造営し、着々と整備されていった。さらにプロイセン王国はベルリン、ケルンの双子地区だけでなく、フリードリヒスヴェルダー、ドロテーエンシュタット、フリードリヒシュタット各地区を包括する王都を1709年から10年にかけて完成させ、後のベルリン発展の基礎がつくられた。当時のベルリンの人口は約5万5000人程度であった。

ベルリンの特性を振り返ってみれば、もともと定住していたスラブ系の住民、定着ドイツ人だけでなく、西方から入植してきたドイツ人、フランスから入植したユグノー、ユダヤ人など多様な人種が入り混じる移民都市という特性を持っていたといえる。これは現代のベルリンの位置付けにおいても、共通する重要なベルリンの多様性の伝統的な特徴である。

軍国主義

プロイセン王国は、軍国主義と啓蒙主義という矛盾する2つの顔を持っていた。まず軍国主義であるが、これに関しては常備軍による領土防衛と拡張が挙げられる。常備軍についてはプロイセン王国の2代目の王、フリードリヒ・ヴィルヘルム1世が増強政策を打ち出した。王国はフランスのブルボン王朝のように、軍隊を強化して絶対主義的専制国家を確立することによって、ハプスブルク家と対抗しようとしたからである。

軍隊における従来の傭兵は金によって動く集団であったが、軍隊内の駆け引き、戦時の乱暴狼藉など、多くの問題を抱えていた。プロイセン王フリードリヒ・ヴィルヘルム1世は、傭兵による軍隊から徴兵制による軍隊改造を試みた。これがプロイセンのナショナリズムを醸成し、防衛意識を強化する結果になり、軍国主義と深く結び付くものであった。

さらに陸続きの大陸の北方に位置するプロイセン王国は、租税制度、官僚機構を改革した。その王国を受け継いだ3代目のフリードリヒ2世は、強力な軍隊を背景にしてハプスブルク家と覇権を争い、領土を維持し、拡大することを最大の目標にした。この試金石がシュレージエン継承戦争である。その結果、プロイセン王国は1740年にシュレージエンを占領し、48年にはその領有を実現したのである。こうしてプロイセン王国は、ヨーロッパにおけるフランスのブルボン家とハプスブルク家に対抗しうる王国にのし上がっていった。

当時のプロイセン王国の二面性は、ベルリンのウンター・デン・リンデン通りのフリードリヒ2世像（図33－1）が暗示している。勇ましい騎馬像の台座の周りに勇猛な臣下の像が彫られているが、その中に2人だけ軍人でない啓蒙主義者が登場している（図33－2）。ひとりは哲学者カントともうひとりは劇作家レッシングである。レッシングについては以下の節で触れるが、その立ち位置は、フリードリヒ2世の乗っている馬の尻尾に位置している。通常、専制君主によって、啓蒙主義者は蹴散らされてしまう扱いであったとはいえ、フリードリヒ2世にとってレッシングは無視できない存在であったことを暗示する。これは軍国主義だけでないプロイセンの一面を物語るエピソードである。

図33-1：ウンター・デン・リンデンのフリードリヒ2世騎馬像

ベルリンの啓蒙主義者たち

ベルリンで活動した18世紀後半の啓蒙主義者としては、レッシング（1729〜81、図33−3）を挙げなければならない。かれは神学者で作家であり、フリーメイソンでもあった。代表作『賢者ナータン』（1779）は、ベルリンのユダヤ人モーゼス・メンデルスゾーンや出版人フリードリヒ・ニコライなどとの交流から生まれたとされる。これは5幕の戯曲で、現在でもよく上演され、また映画化もされている。

レッシングは『賢者ナータン』の中で、ユダヤ教、キリスト教、イスラームが対立し、抗争を続けている問題を取り上げている。これらの三大宗教は、もともと聖地をエルサレムに持ち、ルーツを同じくする一神教であった。しかし『旧約聖書』は共通するものの、『新約聖書』やイエスをめぐってはそれぞれ解釈が異なる。さらに教義にこだわってたがいに激しくいがみ合ってきた。

レッシングはここで、排他的な一神教のエゴではなく、他宗教を容認する寛容と愛の精神によって、憎悪を解消して仲良く暮らすことの重要性を説く。三大宗教の聖地エルサレムはいまだに抗争の源となっているが、レッシングの教訓は現在でもリアリティを持っているのではないだろうか。唯一絶対の宗教だと自己主張をして他者を排除するのではなく、他者の価値観を容認する宗教的相対主義、あるいは寛容の精神が21世紀には問われているからである。

さて18－19世紀にかけて、ベルリンの上流階級もサロンの文化を創り出した。これも啓蒙主義の流れを汲む潮流に位置付けられるが、その中心人物は若きユダヤ人女性のラーエル・ファルンハーゲン（1771～1833、図33－4）であった。裕福な宝石商・銀行家の家庭に生まれた彼女は、才気溢れ、フランス革命に心酔した。フランスのサロンは通常、貴族の夫人が主催したが、ラーエルは、1793年の若き独身時代から文学サロンを開催した。

そこへ集まってきたのは、ドイツロマン派の文人、

図33-2：カント（右端）と向き合うレッシング像

図33-3：レッシング

図33-4：ユダヤ人女性　ラーエル・ファルンハーゲン

ティーク、フリードリヒ・シュレーゲルなどであったが、フンボルト兄弟、フィヒテなども顔を出した。やがて１８０６年のナポレオンのベルリン占領後、ベルリンの雰囲気は変化し、反フランス的、反ユダヤ的になっていった。ラーエルはユダヤ人の出自との葛藤があって、ドイツ人外交官のカール・アウグスト・ファルンハーゲン・フォン・ゼンゼと結婚して一時ベルリンを離れるが、ナポレオン失脚後しばらくして彼女はベルリンへ帰り、再度サロンを開催した。このような紆余曲折はあるが、17世紀末から19世紀初頭のベルリンは、ユグノーだけでなくユダヤ人にも寛容な空気があったといえよう。

（浜本隆志）

34

ナポレオンのベルリン侵攻

★古いドイツの解体と改革★

ナポレオンの支配

ナポレオンのヨーロッパ支配の野望は、ハプスブルク家の神聖ローマ帝国だけでなく、プロイセン王国に対しても大きな影響を与えた。フランス革命の洗礼を受けていたナポレオンであったが、上からの改革を目指した。しかし方法は一種の独裁者のそれであって、かれは一方では、ヨーロッパ全土の支配という野望を実現しようとした。他方、フランス革命での民衆の成果をナポレオン法典（１８０４）にまとめ、支配した地域の民主化を試みた。このように、ナポレオン自身は二重の顔を持つ「英雄」であった。

フランス軍は怒濤のようにヨーロッパ各地へ押し寄せ、長い歴史を誇る神聖ローマ帝国は空洞化が露呈した。こうして１８０５年の「アウステルリッツの戦い」によって、神聖ローマ帝国は消滅する。西南ドイツが占領され、ライン同盟としてナポレオンの直接的な支配下に置かれた。時のプロイセンの国王フリードリヒ・ヴィルヘルム３世は、ロシアと同盟を結び、ナポレオンに立ち向かったが、「イエナの戦い」で敗れ、ベルリンは占領された。

Einzug Napoleons I. in Berlin. (27. Oktober 1806.)

図 34-1：ブランデンブルク門からベルリンへ入城するナポレオン

1806年10月27日にナポレオンはベルリンに入城した（図34－1）。ナポレオン軍はベルリンで乱暴狼藉を行い、前述のブランデンブルク門上の女神の馬車像は、戦利品としてナポレオンによってフランスのパリへ持ち去られてしまった。それがプロイセン人の最大の屈辱であることを、ナポレオンはよく知っていたのである。

全盛期のナポレオンは、占領地プロイセンから「大陸封鎖令」（1806年11月）を発した。プロイセンは敗戦後、「ティルジット条約」によって領土を約半分に削減され、賠償金を科せられた。ただしプロイセン王はベルリンを脱出し、その後、プロイセン王国は首都をシュレージエンのブレスラウに移動させ、ロシアと連携して反ナポレオン運動を展開するようになった。「大陸封鎖令」はナポレオンに与したヨーロッパ内でも不協和音を生み出し、ナポレオンによるロシア遠征の遠因になるのである。

プロイセンはナポレオン戦争によって改革を迫られた。そこで実施したのは上からの改革であったが、プロイセンの首相のシュタインが取り組んだのは、農奴制の廃止という農民解放である（1807）。これが封建体制の根幹であったからだ。しかしかれはナポレオンと対立して失脚したため、シュタインに代わってプロイセン宰相のハルデンブルクがその改革路線を継承し、各種のギルドの見直し、軍政などの機構改革を実施した。ただかれはユンカー（地主貴族）に配慮したため、プロイセンの農民解放は不徹底のままに終わってしまう。しかし、それでもプロイセン改革の道筋が創られたといえよう。

ナポレオン解放戦争

ナポレオンの支配は、プロイセンのみならず、ドイツ領邦諸国、ヨーロッパ規模におよんだが、ロシア、イギリスだけでなく、しだいにヨーロッパ各地に、反ナポレオン闘争の機運が生み出されてきた。ナポレオンは大陸封鎖令にしたがわない反ナポレオンの盟主ロシアを撃つべく、1812年にドイツ諸侯軍もしたがえ遠征におもむいた。図34－2は当時の中部ヨーロッパ諸国の勢力関係を示しているが、プロイセンはフランスかその同盟諸国に囲まれ、微妙な立場に置かれていることが分かる。しかしナポレオンは掃討に手間取り、ロシア遠征作戦は「冬将軍」の来襲も相まって悲惨な失敗に終わってしまう。

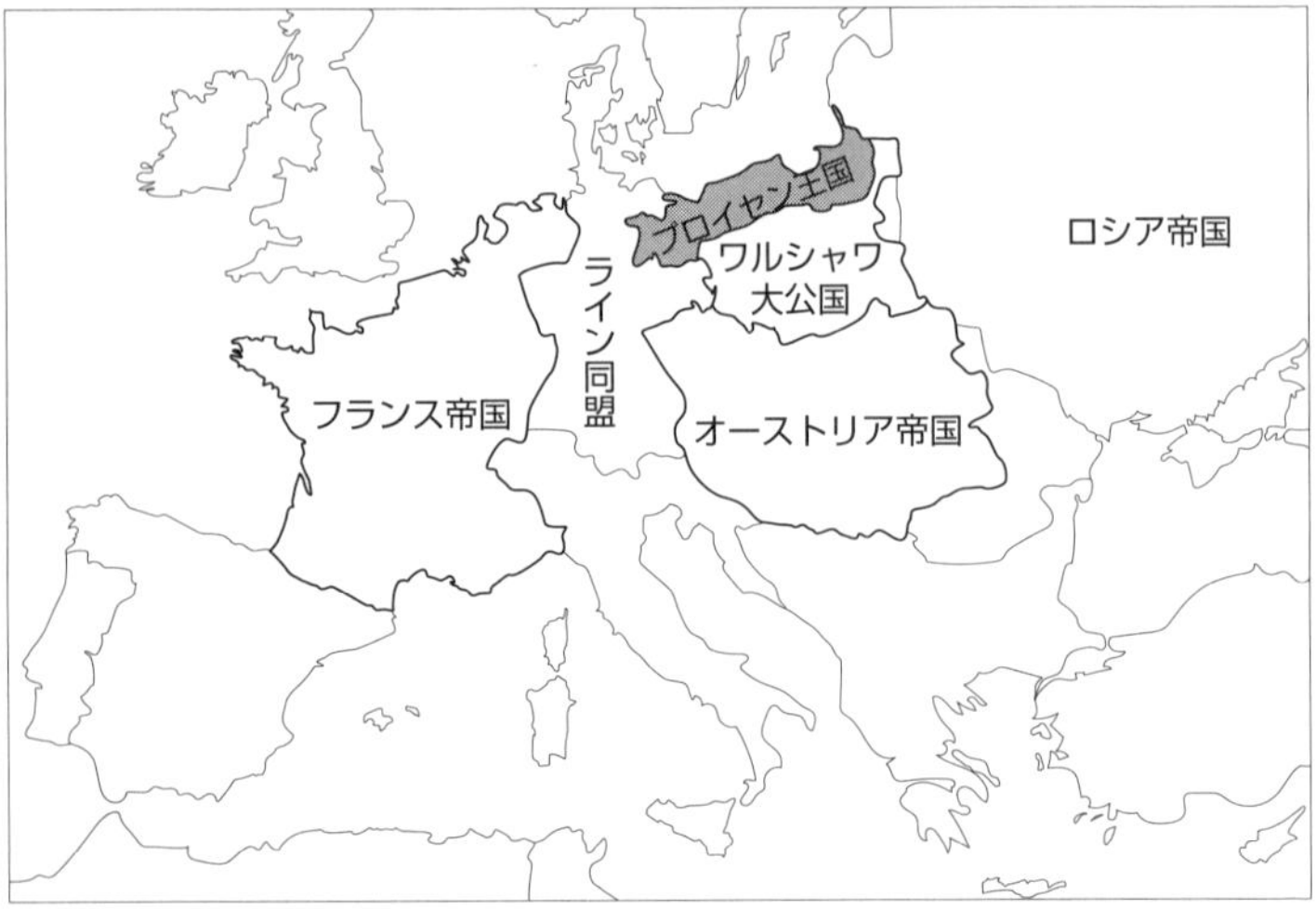

図 34-2：解放戦争直前のヨーロッパ

これを契機に反ナポレオン連合が勢いを増し、プロイセンやオーストリア、さらにドイツ諸邦もこれに加わり、ライプツィヒ近郊のいわゆる「諸国民の戦い」（1813年10月）において、ナポレオン軍は敗退した。これはヨーロッパの政治の大きな転換点になり、その後、「ワーテルローの戦い」でもフランス軍は敗れてナポレオンは弱体化し、再起してももはや昔日の面影はなかった。

プロイセン王国にとって、反ナポレオン闘争は、直接的にはシュレージエンの統治権を確立させ、ラインラントをも領した。対ナポレオン戦争の結果、勝利したプロイセン王国はしだいに存在感を示し、やがてドイツ統一の中心的な役割を担うことになる。しかし、ナポレオンのドイツ支配の経験は、ドイツの支配者や民衆に政治改革の必要性を痛感させるものであった。

（浜本隆志）

35

ベルリン大学の創設

★フンボルトの理念★

ナポレオンの遺産

ナポレオンは、占領国であってもナポレオン法典を発布し、自由主義的な思想を打ち出した。対ナポレオン戦争の敗北の原因について、プロイセンの為政者は学問研究体制に問題があったことを痛感し、その改革に着手する。かれらは中世以来、伝統的なヨーロッパの都市に存在していた学問研究機関、すなわち大学が王都ベルリンになかったことに気が付いた。同時に、ナポレオンの占領政策の一環として、イエナ大学が閉鎖されたという背景もある。

そこでプロイセンのフリードリヒ＝ヴィルヘルム3世（在位1797〜1840）は、一連のプロイセン改革のひとつとして教育改革を試みる。その結果、1810年にベルリン大学が創設された。これはヨーロッパ全体からみれば、後発の部類に入るが、漫然と中世時代と同じような大学を創設しても、時代後れの形骸化したものしか生まれない。王国の文教局長として設立を任されたのは、言語哲学者、ヴィルヘルム・フォン・フンボルト（1767〜1835）であった。

現在のベルリン・フンボルト大学の名前も、この設立の経緯

図35-1：ヴィルヘルム・フォン・フンボルト

に由来するが、フンボルト大学という名称を正式に用いたのは、旧東ドイツ時代からであり、それまでは通称、ベルリン大学と呼ばれていた。大学入り口にはフンボルトの像が建っているが、ベルリン大学といえば、現在でも「フンボルト理念」が話題になることが多い。かれは何を目指して大学を設立しようとしたのだろうか。

　それを単純化していえば、フンボルトは近代大学の根幹を、研究を重視しながら研究と教育の一体化に置いたことである。この「研究を通じての教育」というかれの理念が、日本の高等教育にも大きな影響を与えた（潮木守一『フンボルト理念の終焉？――現代大学の新次元』参照）のは事実である。しかるに現代日本の大学では、研究と教育が逆転した状態にある。

　もともとフンボルトは言語哲学を専門としていたが、その弟のアレクサンダー・フォン・フンボルトは、地理学だけでなく博物学の権威であった。現代でも学名に残っているフンボルトペンギン、フンボルト海流は、その業績の名残である。兄ヴィルヘルムは弟の影響もあって専門研究にも精通していたので、「研究と教育の統一」が大学創設のバックボーンになったといえよう。ベルリン大学には伝統的なヨーロッパの人文科学だけでなく、自然科学部門も設置され、以来、名門大学として欧米や日本など他国の多くの留学生を受け入れてきた。

ベルリン大学の教授たち

ここでベルリン大学の創設時にかかわった哲学者フィヒテ（１７６２～１８１４）について、簡単に触れておこう。フィヒテはナポレオン占領下の１８０８年に、ベルリンのウンター・デン・リンデンのアカデミーで、あの「ドイツ国民に告ぐ」を14回、連続講演をし、ドイツ民族の独立とドイツ文化を守るべしと愛国的な演説を行い、ナショナリズムを鼓舞した。とくにフィヒテは、１８１０年には創設されたベルリン大学の教授にまず就任し、やがて初代総長になってベルリン大学の発展の基礎を築いた。フィヒテだけでなく体操の父ヤーンも、１８１１年にベルリン郊外に体操場を作り、体操（トゥルネン）を通じて愛国心を若者に植え付けた。これらは反ナポレオン闘争のきっかけとなるものであった。

すでに反ナポレオン戦争の経緯は述べたので、ここではベルリン大学にかかわったその後の教授たちについて概観しておこう。有名人だけでもヘーゲル、ショーペンハウアー、グリム兄弟、マックス・プランク、アインシュタインなどの名を挙げることができる。かれらはプロイセン、すなわち後のドイツの人文科学や自然科学の分野のバックボーンになった。その中でもドイツ哲学の権威ヘーゲルは、フィヒテの後任のベルリン大学教授として招聘され、晩年総長となって大学の名声を高めた。在籍した学生たちのうち、とくにマルクス、フェルディナント・ラサール、リープクネヒト父子らは

図 35-2：フィヒテ

政治活動で大きな影響力をおよぼした。

さらに大学創設の成果をノーベル賞の数で比較をするのには、多くの異論があるが、ベルリン大学関係者は57人を数える（2020年現在）。ただし関係者とは、卒業生、在籍者、学位取得者、教員、嘱託研究員など、曖昧な概念であるので、ここではドイツのノーベル賞受賞者の半数以上が、ベルリン大学の関係者であったという傾向だけを指摘できるにすぎない。それでもベルリン大学の創設が、ドイツの人文科学と自然科学の学問研究において大きな役割を果たしたということは、間違いないだろう。

（浜本隆志）

36

ドイツ統一のプレリュード（序曲）

★関税同盟の効果★

ベルリンの3月革命

前述のように、ナポレオン支配はドイツ各地に反ナポレオン運動を引き起こした。ドイツでも民主化、立憲主義化、自由化の要求が強くなった。ただしドイツでは、ナショナリズムと自由主義が混在し、左翼的とも右翼的とも解釈できる両面を有していた。そのあと結成されたブルシェンシャフト（学生結社連合）も両方の特性を持ち、当時の学生運動を規定した。しかし、それもドイツ統一のプレリュードのひとつといえるであろう。

やがてヨーロッパ各地のリベラル派の革命運動が燃え上がると、革命はベルリンにも飛び火した。まず1830年にフランスのパリで七月革命が勃発し、国王シャルル10世は亡命せざるを得なくなった。ドイツのブルシェンシャフトによる1833年のハンバッハ祝祭は、かつてない盛り上がりをみせたが、なんの政治的方向性も打ち出すことはできなかった。さらに1848年パリの二月革命、ウィーンの三月革命に触発され、ベルリンでも1848年に三月革命が勃発した。蜂起した民衆の1万人は、議会開設、言論の自由など、いくつかの要求を打ち出した。

図 36-1：ドイツ三月革命（ベルリン）

シンボル旗の黒、赤、金（黄）は、反ナポレオン戦争の学生義勇軍の旗に由来し、ハンバッハのブルシェンシャフト運動の旗とも同一だったが、同様にこれがベルリン三月革命時にも用いられた。黒、赤、金の旗は祖国統一のシンボルと解釈されており、現在のドイツ国旗もその伝統が継承されている。

時の国王フリードリヒ・ヴィルヘルム4世は、革命派と交渉し、かれらの要求を受け入れて妥協しようとする。しかし、リベラル派は具体的な議会制民主主義の青写真を提示できず、革命運動はデンマーク戦線から急遽帰還した王の軍隊によって鎮圧された。死者は革命側に多く、反革命側の勝利に終わった。このような下からの民衆による革命は、19世紀のドイツにおいては抑圧され、弾圧が強化された。それでも革命の成果としては、帝政のもとで憲法や議会の導入が図られたことが挙げられる。先述のプロイセン改革もそうであったが、ドイツ史の中では、改革はおもに上からによるものが主であって、民衆の側から勝ち取ったものではなかった。むしろドイツを変化させたのは、経済・流通問題であった。

関税同盟

ナポレオン敗退後、1815年の「ウィーン議定書」によって、フランスが占領していたラインラントはプロイセンが領有することになった。プロイセンにとってここは飛び地になるため、交流をする場合、他の領邦を通らざるを得ず、そのつどの通行税や関税は繁雑なものであった。このことが契機となって、1827年にはプロイセンが中心となって北ドイツに関税同盟がつくられ、関税廃止による商工業の発達の基礎が築かれた。

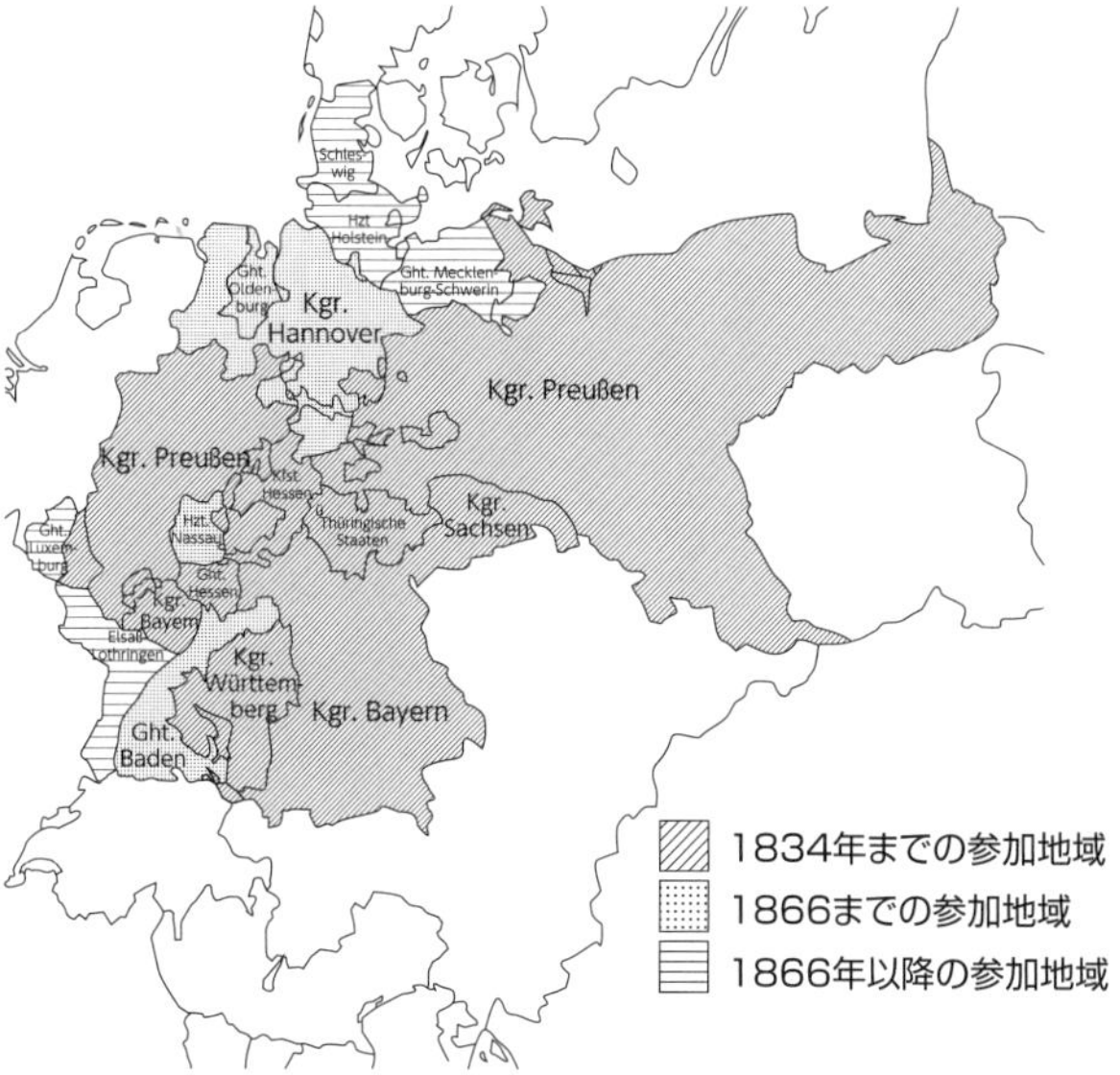

図 36-2：ドイツ関税同盟の展開

しかし、これに至るプロセスには紆余曲折があった。というのも、北ドイツ人と南ドイツ人は気風が異なり、なかなか融合することが困難であったからだ。当時、「強盗騎士」という言葉が使われていたが、ユダヤ人作家のベルネはこの言葉で、小国が分立した領内を通行する際に、そのつど税金を取ることを揶揄したのである。ただド

図 36-3：関税撤廃のカリカチュア（1847）

イツには関税が自由な経済発展を阻害するという認識があって、南は南ドイツ関税同盟で地域的に対抗しようとした。他方、オーストリアのハプスブルク家は税関の収入をあてにしていたので関税撤廃に消極的であり、工業化、資本主義化の波に乗り遅れてしまった。

　とくにプロイセンは関税の廃止に積極的であり、広域に流通改革を行って、経済を活性化させようとした。そのため１８３４年にプロイセンがイニシアティブをとって、北ドイツ、南ドイツ、中部ドイツの近隣領邦と関税同盟を結び、領邦内の関税が廃止された。こうしてドイツはイギリス・フランスと同様、資本主義化の道を進んでいったのである。

鉄道の開設

　関税が撤廃されると域内の交易や人の移動が活発化する。その結果、必然的に交通機関が発達する素地が生まれる。このような背景のもとで、鉄道の開設という交通革命がドイツでも引き起こされた。交通は時代の経緯とともに、馬車、鉄道馬車から蒸気機関による列車に変化していったが、ドイツにおける蒸気機関の先駆者はフリードリヒ・リストである。

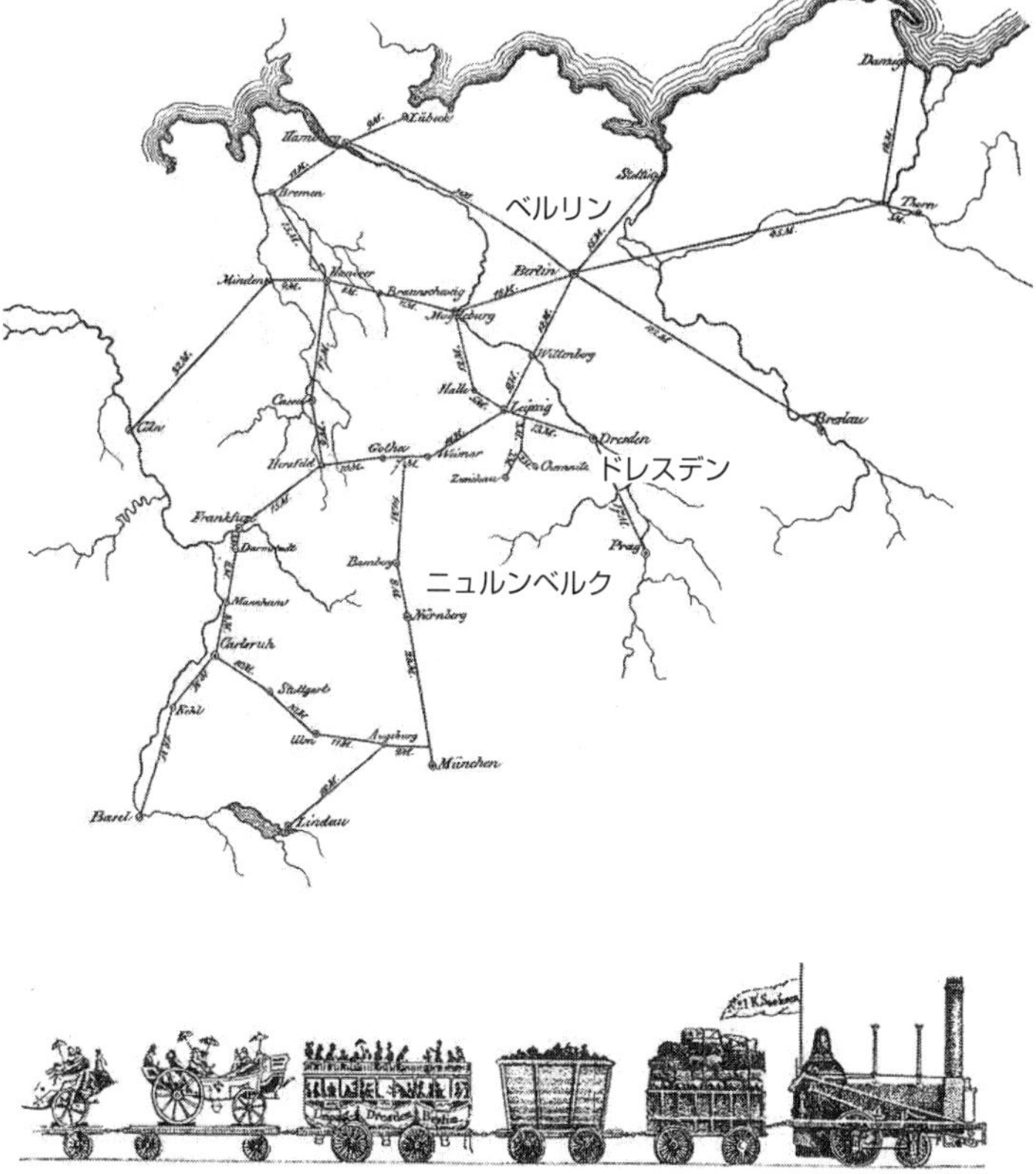

図 36-4：リストのドイツ鉄道網構想

1835年にはニュルンベルクからフュルト間に鉄道が開設された。さらに1838年にベルリンとポツダムを結ぶ鉄道が開通した。これは人の流動化、原料と製品物資の移動を容易にし、馬車や人力による移動と比べて飛躍的に工業化を促進した。結果的に、鉄道は都市の人口集中化を促進する役割を果たした。ベルリンに人びとが集まり、紡績工場や機械工場が建設され、プロイセンの産業革命が活発化していった。こうしてプロイセンも資本主義化の道を歩み始め、ドイツ統一への機運が高まっていくのである。その意味において、関税同盟と鉄道の開設などが、ドイツ統一のプレリュードであったといえよう。

（浜本隆志）

Ⅵ

ドイツ帝国、ワイマル共和国からナチス時代のベルリン

37

ドイツ帝国の成立と首都ベルリンの変貌

★ナショナリズムと帝国主義★

ブランデンブルク門の凱旋

軍国主義化していたプロイセン王国は、第二次対デンマーク戦争（1864）、対オーストリアとの普墺戦争（1866）、対フランスとの普仏戦争（1870）でいずれも勝利を得た。いわば連戦連勝の破竹の勢いであったが、それはプロイセンが一種の徴兵制（兵役義務制）を敷き、近代化した兵器を装備していた結果であった。普仏戦争の立役者は宰相ビスマルクであり、1871年に1月のナポレオン3世とビスマルクの会見は、ヴィルヘルム・カンプハウゼンの絵で残っている（図37－1）。両者の表情から勝者・敗者の関係を読み取ることができる。

ビスマルクはプロイセンのユンカー出身であって、もともと北ドイツのプロイセンを重視し、ドイツ全体の統一を目指していたわけではなかった。しかし対外戦争、とくに普仏戦争における戦勝はドイツ統一の機運を醸成し、このナショナリズムに後押しされるように行動を起こした。巧みな外交努力によって普仏戦争末期には、西南諸邦や乗り気ではなかったバイエルンと同盟を結び、オーストリアを排除した小ドイツ主義による統一を果たした。この統一が国民に大きなインパクトを与え、近代ドイツ国家誕生の第一歩となったが、プロイセン王ヴィルヘルム1世がドイツ帝国の皇帝になったという事実も、計り知れない効果をおよぼした。

ヨーロッパにおける正統な帝国や皇帝は、ローマ帝国、神聖ローマ帝国の系譜であった。ナポレオンは国民投票によって皇帝と名乗ったが、伝統的な系譜とは無関係である。ドイツ帝国や皇帝はビスマルクの遠謀の結果、バイエルン王ルートヴィヒ2世の提言で生まれた。ドイツと神聖ローマ帝国の系譜も話題になったが、これも直接関係があるわけではない。しかし帝国や皇帝というその名称は、国王のさらなる上位の頂点の位階であったので、たとえビスマルクの策謀であっても、ドイツ国民の自尊心をいやが上にも高める効果があった。

図37-1：ビスマルク（右）とナポレオン3世（1871）

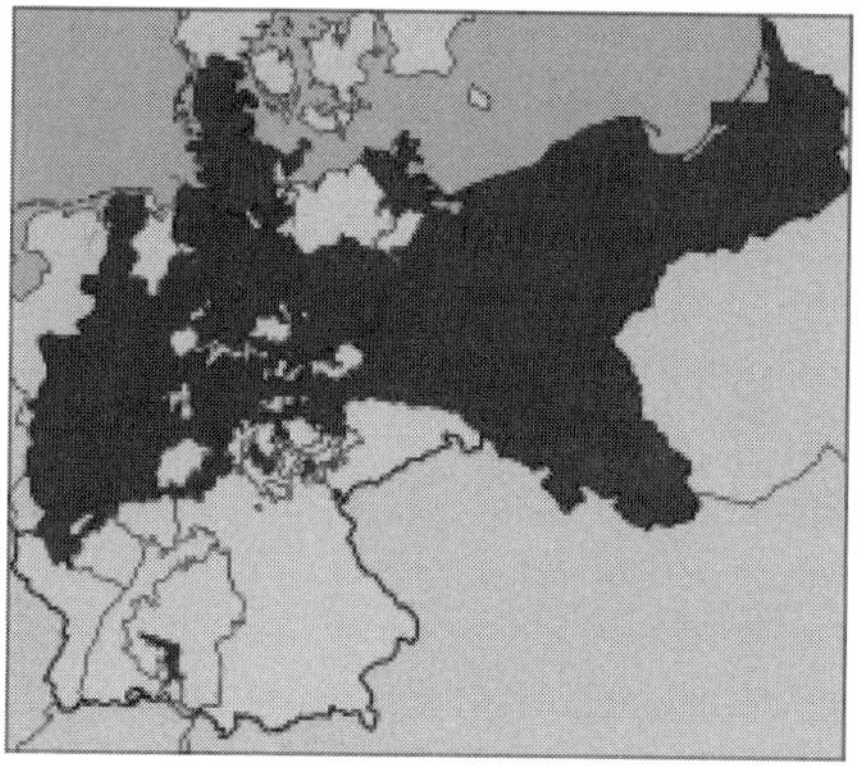

図37-2：ドイツ帝国内のプロイセン（1871）

普仏戦争の結果、プロイセンはアルザス＝ロレーヌ（エルザス＝ロートリンゲン）の割譲を要求し、賠償金の支払いを求めたが、これはナポレオン戦争への意趣返しのようなものであった。さらにドイツ帝国皇帝の戴冠式は、1871年1月18日にヴェルサイユ宮殿の鏡の間で行われた。1月18日にこだわったのは、170年前の1701年1月18日に、プロイセン王国が誕生してフリードリヒ1世が戴冠式を挙げていたからである。それにしても、敵国のヴェルサイユ宮殿で戴冠式を実施したのは、フランス国民に対して極めて露骨に屈辱を与えるものであった。復讐の連鎖は、第一次世界大戦の結果、ドイツに対する「ヴェルサイユ条約」による過酷な賠償金や、領土割譲というかたちで繰り返された（223ページ参照）。

さて帝国の首都となったベルリンは、ヨーロッパの中でも大きな存在感を示す都市となった。ヴィルヘルム1世はドイツ帝国の皇帝として、1871年6月16日に意気揚々とベルリンへ凱旋してきた。すでに普墺戦争の戦勝記念凱旋でも、ブランデンブルク門からウンター・デン・リンデン通りというルートで実施されており、今回の凱旋でも門は文字通り、一種の凱旋門の役割を果たしたが、当時の光景を示す写真が残っている。飾り立てられた門、押し寄せる群衆は戦勝による高揚したベルリン市民の雰囲気を伝えるものである。このときのベルリンの人口は約82万6000人であった。

音楽隊による「プロイセンの栄光」のマーチが流され、軍隊が凱旋してきた。曲は音楽家ピーフケがこの日のために作曲したものであった。この凱旋パレードの延長線上に戦勝記念塔が配置されていた。これは最初、対デンマーク戦争、普墺戦争、普仏戦争の勝利を祝って1872年に国会議事堂前に建設されたが、後のナチス時代に現在のティーアガルテン内へ移された。

ナショナリズムとドイツ帝国主義

新首都ベルリンに政府官庁、施設、商店、工場などが建設され、ドイツもイギリス、フランス、アメリカのように資本主義への道が敷かれた。ベルリンは、ドイツ帝国の政治、経済の中心的都市となり、人口の集中が顕著になった。しかし、プロテスタントのプロイセンを中心とする北ドイツ連邦と、カトリックの南部バイエルンなどとの宗教的・地域的対立の溝は深く、統一ドイツという帝国の一体感は一朝一夕には形成され難かった。

ところが英仏の植民地主義の時代的背景に加えて直接的には普仏戦争の勝利と、ドイツ帝国の成立やヴィルヘルム1世の凱旋は、ドイツ・ナショナリズムを醸成させるものであった。当時影響を与えたその理論家は、歴史学者のハインリヒ・フォン・トライチュケ（1834～96）である。ベルリン大学教授となったトライチュケは、プロイセンを中心とする小ドイツ主義を主張し、「ユダヤ人はわれらがわざわいだ」という人種主義的スローガンによってユダヤ人をターゲットとして差別し、ドイツ・ナショナリズムを標榜した。

図37-3：講義するトライチュケ（1879年）

かれはプロイセン公国成立の指導的役割を果たした先人の、ドイツ騎士団の活動を賛美し、それをバックボーンとした当時の帝国主義的な植民地主義の思想をドイツにも植え付けようとした。これは後のナチスの東方生存権の主張、反ユダヤ人思想などに多大の影響を与えた。思想的には、トライチュケはナチスの東方植民政策のイデオロギーの先駆的な役割を果たしたといえよう。しかしかれだけがナチスの先駆者ではなく、同時代のフェルキッシュ（右翼的な民族至上主義）運動、ダーウィンの生物進化論を社会的発展へ応用するという曲解、民族主義的国粋主義などの伏流がナチズムに流入したのである。

とはいっても、ドイツ統一の立役者ビスマルクは、帝国を維持するために、紛争の種になる植民地拡大主義には慎重であった。かれはヨーロッパ内の政治的バランスを重視し、普仏戦争の敗者のフランスの復讐を警戒しながら、孤立させることに腐心した。ところがビスマルクは、1884年から5年にかけて従来の方針を変え、ドイツ帝国の植民地主義を容認し、アフリカへ進出した。現タンザニアにドイツ領東アフリカ植民地を獲得し、カメルーン、トーゴラント、ナミビアなどへと、それを拡大した。

ビスマルクが仕えていた皇帝ヴィルヘルム1世が死去すると、後継のヴィルヘルム2世はビスマルクと政治姿勢や対外政策をめぐって対立し、とうとうビスマルクは宰相を辞任する。ビスマルクの場合、外交による深謀をめぐらせ、隣国との摩擦を極力避けたが、実権を握った若い皇帝は、列強に倣って領土拡大路線を強力に推進した。

こうして皇帝ヴィルヘルム2世は、遅ればせながら本格的に海外植民地獲得を目指す。20世紀前半においてプロイセンの軍国主義の流れを汲むドイツ帝国は、結果的に世界第2位の軍事力を誇るようになった。しかし、ビスマルクが危惧していたように、ヴィルヘルム2世の帝国主義的拡大路線は、イギリスとロシアを強く刺激し、第一次世界大戦を引き起こす要因となった。

具体的には第一次艦隊法（1898）、第二次艦隊法（1900）の成立によって、ドイツ艦隊の増強が急速に進展した。海軍とセットで、ドイツ帝国は海外植民地の拡張と重工業の発展に邁進した。すなわちイギリス型の海洋国家への脱皮を図ったのである。同時に内陸アジアへ視線を向け、オスマン帝国内にバクダード鉄道を計画し、ヨーロッパ大陸側からインド洋へのルートを開拓しようとした。あわせて大陸型の植民地を目指す方向も並行して推進した。

すでにアフリカやアジア、太平洋地域の大部分は植民地化されており、ドイツ帝国の入り込む隙はあまりなかったが、それでもかつてのビスマルク時代のアフリカを含め、中国山東半島（青島）の租借、ニューギニアの一部と太平洋諸島の植民地化に成功し、ドイツ帝国は列強の仲間入りを果たした。しかしその政策は先発組のイギリスやフランスと摩擦を起こし、英仏海軍の妨害によって、海外でのドイツ海軍の活動は制約を受けた。こうした列強の確執が、結果的に第一次世界大戦を誘発することになる。

（浜本隆志）

図37-4：皇帝ヴィルヘルム2世

38

第一次世界大戦と帝政崩壊

★「背後からの匕首《あいくち》」伝説★

西部戦線と東部戦線

第一次世界大戦ではドイツ同盟国（ドイツ帝国、オーストリア・ハンガリー帝国、ブルガリア王国、オスマン帝国など）と連合国（イギリス帝国、フランス共和国、イタリア王国、ロシア帝国、後にアメリカ合衆国など）が、主に西部戦線と東部戦線で相まみえた。ところが西部と東部では戦況がたいへん異なっていた。

東部戦線はルーデンドルフとヒンデンブルク将軍のもと、ドイツ軍は1914年8月のタンネンベルクの戦いにおいてロシア軍を破り、有利に戦いを展開していた。さらに東部戦線では、大戦中の1917年の2月と10月に起きたロシア革命の混乱に乗じ、ドイツ同盟軍は雪崩のように東方へ進軍した。ロシア軍は前線から撤退し、1918年3月にドイツと大幅に譲歩した講和条約を結んだ。すなわち東部戦線ではこの時点で戦争は終結し、ドイツ同盟軍は完全に勝利していたということになる。

なお、後にルーデンドルフと面識を持つようになったヒトラーは、かれの東方生存圏構想に強く影響されるようになる。ルーデンドルフの構想は、現実問題としてのロシア占領地の経営経験に根差すものであった。それはかつての中世の東方植民に由来する古典的なものであるが、しかし、後のナチスの徹底的な人種主義のイデオロギーに裏打ちされたものとは異なっていた。

さてドイツ軍部は短期決戦を想定していたが、予想に反して大戦が長引くにつれ、ドイツ軍は西部戦線では塹壕戦を余儀なくされ、一進一退の膠着状態に陥った。ところが1917年4月にアメリカの参戦の報が伝わると、ドイツ軍はアメリカ軍が連合軍に合流する前に、東部戦線から西部戦線へ兵力を移動させ、1918年4月に大攻勢をかけたが、戦局は好転しなかった。

そうこうしているうちにアメリカ軍が到着し、ドイツ軍は不利な状況に追い込まれた。ドイツ同盟側のブルガリア王国（1918年9月）やオスマン帝国（同年10月）は、先に休戦して戦線を離脱した。ドイツ帝国はアメリカとの和平交渉を模索し、局面を打開しようとしたが、当然ながらドイツの主戦派はこれを拒否した。

戦時下のベルリンと帝政崩壊

ベルリンなどの都市部は陸上封鎖や農作物の不作もあって、すでに1916年から17年にかけて、慢性的に食糧難に苦しむようになった。さらに「カブラの冬」（飼料用カブラで冬の飢えを耐えたこと）という言葉がはやり、1918年には食料が統制下に置かれた。しだいに人びとの間で厭戦気分が広まり、国内でも暴動が頻発するようになった。あわせて西部戦線ではドイツ軍の劣勢が決定的となり、主戦派の軍部のルーデンドルフらが退陣し、ベルリンでは皇帝ヴィルヘルム2世の統率力が形骸化した。

図 38-1：演説するカール・リープクネヒト

図 38-2：ローザ・ルクセンブルク

帝国議会では、エーベルトが率いる社会民主党や独立社会民主党が政権を担うようになった。その上、戦争末期にロシア革命がドイツへ「飛び火」し、キール軍港の水兵の反乱（1918年11月3日）などをきっかけに、それ以降ドイツ各地に反政府運動が勃発した。デモによって火が付いた革命運動は、バイエルンやザクセンなどで共和制の宣言へと展開して、帝政の根幹を揺さぶった。

危機に直面した皇帝ヴィルヘルム2世は、退位してオランダへ亡命せざるを得なくなり、ここに第二帝政は終焉するが、帝政から共和制への転換は、周到な準備を経て成立したものではなく、戦争が生み出した突然の産物であった。政権を担った社会民主党の連立内閣は、戦争終結と帝政から共和制の移行、革命を標榜する急進派対応という困難な課題に直面した。これが第一次世界大戦末期であったので、ドイツは「背後からの匕首（一突き）」によって内部崩壊したといわれた。

歴史的な経緯を簡単にみれば、1918年11月9日に社会民主党のシャイデマンが共和国宣言をし、翌日の皇帝の亡命を経て、11月11日に第一次世界大戦は終結する。しかしベルリンでは1919年の1月5日に、独立社会民主党員の警視庁長官の罷免をきっかけに、急進的共産主義グループが新生のワイマル共和国に対して反乱を起こし、武装ほう起した。かれらは、ベルリンでは古代ローマの名前にちなんだ「スパルタクス団」として知られ、権力をレーテ（労兵評議会）が掌握する社会主義革命を目指した。とくに革命を主導した中心人物は、ユダヤ人女性ローザ・ルクセンブルクとカール・リープクネヒトであった。

ちなみにその2カ月前の11月9日に、ミュンヘン革命を起こしたアイスナー、トラーなどの主要メンバーも、ユダヤ人であったという共通する特徴があった。その事実から、ここにナチスのユダヤ人や共産主義者嫌いが顕著になった誘因が指摘できる。しかしベルリンの場合、「スパルタクス団」の反乱はやがて鎮圧され、主要メンバーは殺されたり逮捕されたりした。

（浜本隆志）

39

ワイマル共和国の政治

★不安定な多党化★

不安定な連立政権

ワイマル共和国はもっとも民主的な憲法を持つ共和主義国家といわれた。1919年に女性にも参政権が認められ、女性議員も誕生したし、国際連盟にも参加した。なおワイマル共和国という正式名称は、1919年7月の旗揚げの地ワイマルに由来するものであったが、政治の中心地はもちろん首都ベルリンである。選挙による国民議会というかたちの共和国下では、原則として政治的な自由が容認されたので、多くの政党が生まれた。

1919年1月の選挙によって、社会民主党、中央党、民主党の3党が連合した「連立内閣」が成立し、シャイデマンが首相となった。その際、共産党は選挙ボイコットを呼びかけたが、選挙の投票率は82・7%を記録し、国民は議会制民主主義を望んでいたことが分かる。ところが成立したドイツ共和国は、初期の左翼スパルタクス団の反乱だけでなく、右翼のカップ一揆（1920年3月）、領土問題、多額の賠償金、超インフレなどに直面し、前途多難な国家再建の課題を抱えていた。

ワイマル共和国の政情は成立時だけでなく、その後もたえず不安定のままであった。共産党、民主党、社民党、ドイツ国民党、ナチスという左右の政党によって、政治はたえず党派的対立を生み出したからである。たしかに共和国発足時には、社会民主党がイニシアティブを握り、党首エーベルトが大統領となったが、その後３党連合は、過半数を掌握することができなかった。組閣はたえず連立でかろうじて切り抜けなければならなかった。その中で、首相や外相として活躍したシュトレーゼマンの経済改革や国際協調路線を特筆しなければならない。こうしてワイマル共和国はナチスの台頭を抱えながら、１９３３年1月まで14年間存続した。これを比較的短い期間という人もいるが、保守的なドイツで共和国がよく14年も持ったという解釈も成り立つ。

フランスの意趣返し

ドイツは普仏戦争のツケを第一次世界大戦の敗北によって支払わねばならなかった。19世紀以降の近代独仏史を概観すると、ナポレオンのドイツ占領、普仏戦争、第一次世界大戦後のヴェルサイユ条約は、歴史の連鎖によってすべてつながっていたといえる。とくにヴェルサイユ宮殿の鏡の間におけるドイツ皇帝の戴冠式（１８７１）がフランス側へ与えた屈辱は、第一次世界大戦後の同じ鏡の間における「ヴェルサイユ条約」によって、ドイツ側へ跳ね返ってきた。主な領土割譲については、アルザス・ロレーヌはフランス領へ、東のポーゼンがポーランド領へ、ザール地方が国際連盟管理となった。

図39-1：シュトレーゼマン首相（1925）

図 39-2（左）：鏡の間におけるヴェルサイユ条約調印式（1919）
図 39-3（右）：同じ鏡の間におけるドイツ皇帝戴冠式（1871）

さらにドイツには、１３２０億マルクという支払い不能な天文学的数字の賠償金と大幅な軍縮、海外植民地の放棄が課せられた。

ワイマル共和国の国民を苦しめたのは、とくにこの多額の賠償金と急激なインフレであった。すなわち、第一次世界大戦後のドイツ経済は、過酷な賠償のその重荷に喘いでいたのである。支払いが困難であったので、その延期が国会の中心議題となった。さらに敗戦による領土問題や過酷な戦後処理は、ドイツ政府内でも大きな反発があった。とくにドイツ国内が戦場になっていなかったので、人びとの敗北感は乏しく、ヒンデンブルクが敗戦を「背後からの匕首」と評したので、ドイツ民衆は「ヴェルサイユ条約」にたいへん大きな不満を抱えていた。

この構図がドイツ人のナショナリズムに火を付け、ドイツ右翼が台頭する下地になった。革命派に敗戦の責任が転嫁され、共和国内ではしだいに右翼の勢力が増大した。その右翼の急先鋒となったヒトラーは、「ドイツ労働者党」の中で頭角を現し、政府批判やマルクス主義批判によって、政治の表舞台に登場する。経済問題では極端にインフレが進み、反感の対象はヴェルサイユ条約を主導したフランスに対してだけでなく、むしろ自国のワイマル共和国政府の弱腰な態度にも向けられていく。

このように歴史を通史でたどっていくと、第一次世界大戦後のヴェルサイユ条約のフランスの過酷な意趣返しは、ドイツの不満を高めたという次元で終わらなかったということが分かる。ドイツの命運を左右したナチスは、さらにアメリカを震源地とする経済大恐慌によって勢力を倍加した。ドイツにも大恐慌の波が襲いかかって深刻な危機をもたらし、手をこまねいている既成政党に不満が募ったからである。ドイツの1929年の失業者数は月平均約200万人となり、それからさらに年々増加していった。ちょうどその頃、連合国のラインラントの占領政策が終わり、ヴェルサイユ体制の打破がナチスの政治目的のひとつとなった。

混迷する政局の中で、ナチスは1930年に第2党に、1932年は第1党に躍進する。1933年の選挙によって第1党を維持したナチスは、政権の座に躍り出た。時の大統領ヒンデンブルクは、1933年1月にヒトラーを首班に任命した。ヒトラーは失業対策の経済政策に着手し、ナショナリズムをくすぐり、強力なプロパガンダによって人心を掌握していった。それからナチスの時代が到来するのであるが、その前にワイマル共和国時代の文化状況の概略をみておきたい。

（浜本隆志）

40

「黄金の20年代」

★花開いたベルリン文化★

ワイマル時代の芸術

ワイマル共和国は共和主義的な政治体制であったので、強権的な専制支配は影を潜め、自由を容認した。そのため、20世紀前半のワイマル共和国時代は混乱した第一次世界大戦後の世相にもかかわらず、首都ベルリンという大都会のカオスの中で、芸術家、文学者、文化人、外国人たちが集まり、一旗揚げようとした時代背景もあった。芸術文化からみると、かれらは実り豊かな作品を生み出し、この時代は「黄金の20年代」と評された。文学や美術、映画、建築において、表現主義やダダイズム、モダニズム建築、前衛演劇が花開いた。かれらの先進的な活動によって、ドイツ文化が世界をリードした時代でもあった。

ベルリンの「黄金の20年代」を飾った代表的芸術家たちや作品について略述しておこう。表現主義の作家として登場したアルフレート・デーブリーンは、『ベルリン・アレクサンダー広場』（１９２９）で、大都会の底辺で生きようとする男を描いて一世を風靡したが、かれはユダヤ系であったのでナチスに追われ、アメリカへ亡命した。劇作家ベルトルト・ブレヒトは１９２３～33年2月までベルリンに住み、『三文オペラ』（１９

図40-1：『嘆きの天使』のマレーネ・ディートリヒ

28）などで新しい叙事的な演劇論を展開し、体制に順応する従来の演劇を批判した。しかし、かれもベルリンを追われてドイツから追放された。

この時代の初期の映画では、『カリガリ博士』（1919）と後期の『嘆きの天使』（1930）が有名であるが、前者は新しい切り口によるアバンギャルド作品として人気を博した。しかし、後者のマレーネ・ディートリヒの演ずる映画のシーンが、時代のシンボルとして引用されることが多い（図40－1）。これはハインリヒ・マンの『青い天使』の改作を映画化したものであるが、若きディートリヒの演ずる妖艶なキャバレーの踊り子と、実直なギムナジウムの教師の展開する世界は、当時のベルリンの世相を如実に物語っている。

図 40-2：出典「朝５時に」1920，S.Haffner, *Preußen ohne Legende*

内包する矛盾

さらにベルリン生まれで、スパルタクス団にも加わったジョージ・グロッスが、ダダイズムの詩や絵画の分野で従来の価値観を打ち壊していった。図40－2は１９２０年の「朝５時に」である。飽食するブルジョワは朝まで退廃的な生活を送っていたが、上部に描かれたプロレタリアは早朝に仕事に出かけている。グロッスはカリカチュアで両階級の矛盾をクローズアップするのである。

建築分野では、ワイマルで誕生したバウハウスは、デッサウ、ベルリンと場所を移しながらも、新しい建築のあり方を求め続けていた。オーストリアやソ連からの文学者たちが、ベルリンでコロニーをつくり、大都会のカフェハウスなどで活路を見出そうとした。中でもロシア・アバンギャルドの流れを汲む人びとが活躍したが、その後かれらの大部分がナチスによって弾圧された。

ではどうしてベルリンがこれらの新しい文学・芸術運動の中心的な舞台となったのであろうか。それは、20世紀前半では大都市が文化的なアジール（避難場所）の役割を果たしたからだ。近代化した大都市は人口を吸収する役割を果たし、農村や地方各地から人びとが押し寄せた。それだけではなく、ユダヤ人、亡命ロシア人芸術家、ボヘミアンなどもベルリンに引き寄せられた。芸術家も都市の自由な雰囲気の中で自分の才能を発揮しようとしたからだ。大都市では単身者が多くなり、劣悪な住居、安宿、カフェハウス、売春宿、ドラッグやいかがわしい店も存在した。

アンダーグラウンド文化は１９６０年代にイギリスやアメリカで流行し、ボヘミアンやヒッピーを出現させたが、ベルリンの「黄金の20年代」は、その先駆的な役割を果たしたと考えられる。これらのカオス化した社会が、一種の文学的・芸術的エネルギーに転化し、政治とは対極のカウンターカルチャー（対抗文化）を醸成したといえよう。以上のようにワイマル共和国時代は、光と闇を内包し矛盾に満ちた、混沌とした時代を創り出していたのである。

（浜本隆志）

41

ナチス時代のベルリン

★3つの炎が物語るもの★

ヒトラー政権樹立の松明《たいまつ》行列

ナチスの政権奪取が起きた1933年の世相を表すキーワードとして、ベルリンの「3つの炎」がクローズアップされる。第1に突撃隊の主導による1933年1月30日の松明行列、第2に2月27日の夜の国会議事堂炎上事件、第3に5月10日の焚書事件である。それぞれの内実は異なっているとはいえ、いずれも炎が付いて回っている。それはナチスという政党の持つ、不気味なエネルギーを象徴するものであった。ここでは、これらのイベントや事件が何を意味していたのかを、それぞれ確認しておこう。ナチスという右翼の持つエネルギーの根源を解明したいからである。

まず松明行列については一般に、単なるお祭り騒ぎであって、他の2つの事件とは異質なものであるという見立てが一般的であるが、これもナチスの特質を如実に物語っている。ナチスの行事には懐古的なものが多い。たとえばゲルマン神話愛好、中世のドイツ騎士団へのノスタルジア、ヒトラー・ユーゲントのワンダーフォーゲル運動やキャンプファイヤー、これらは古代回帰のナショナリズム的な民俗行事とつながるものであった。

すなわち、ゲルマン民族回帰という一環に位置付けられる。

異様な興奮を呼び起こした夜の松明行進は、ゲッベルスの提案であった。突撃隊という中世のドイツ騎士団に類似した集団が、整然と松明を持って行進し、多数の観衆を熱狂させた。民族共同体の理念、夜と松明のコントラスト、ナチス式挨拶、統率、古代の民俗行事へのノスタルジアという、劇場型のパフォーマンスがここでは繰り広げられていた。

図41-1：ナチスの松明行列

この日はヒトラー内閣が誕生した歴史的な日であった。ヒトラー内閣はナチスとドイツ国家人民党の右派の連立で成り立っていた。首相はヒトラーであるものの、スタート時にはナチス色を薄めて連立の相手に重要閣僚を譲り、ナチスからは無任所大臣2名だけという、極めて控えめな組閣であった。この巧妙な戦術は、ミュンヘン一揆で学んだヒトラーの深謀であった。最初から力を誇示すると大きなリアクションを生み出すからだ。

国会議事堂炎上

1933年2月27日に国会議事堂炎上事件が起きた。同年3月5日に総選挙が公示されており、おりしも選挙期間中に事件が発生したことは、偶発的なではないことを物語っている。これはオランダの元共産党員のマリヌス・ファン・デア・ルッべ

図 41-2：国会議事堂炎上事件

が引き起こしたとされ、かれは逮捕後、裁判にかけられ処刑された。現代でもこの事件の真相は謎とされたままであるが、ナチス政権の誕生直後の総選挙期間中という背景、その後の「全権委任法」の提起という経緯を考えれば、ナチスの権力掌握と連動しているので、ナチスの関与が色濃い。

ナチスの発表によって翌日、非常事態宣言が発令され、炎上事件は共産党の蜂起の一環で生じたものというデマが流されて、共産党は禁止された。各地で４０００人以上の多数の共産党員が逮捕され、反共キャンペーンが展開された。しかしルッベ以外の誰にも有罪を実証できず、逮捕者たちは釈放された。この事件の影響もあり、結果的には放火事件はドイツ史において極めて重要な意味を持つ、歴史の転換点となった。

この事件の後、１９３３年3月23日には「全権委任法」が提起・承認された。こうして合法的に議会制民主主義は骨抜きにされ、民主主義的なワイマル憲法は停止されてしまった。ナチスの独裁政権はこの事件を転機に確立し、反ナチスの作家たちの亡命、さらに焚書事件の序曲となった。その後、ナチスは矢継ぎ早に体制強化を打ち出していった。

図41-3：ナチスによる焚書（オペラ座前広場）

焚書事件

国会議事堂放火事件からまもなくして、1933年5月10日の夜、ベルリンのウンター・デン・リンデンに面したベーベル広場やオペラ座前広場などで、反ナチス文学・芸術に対する焚書が行われた。主導したのはナチス宣伝相のゲッベルスであるが、行動したのはナチスを支持する学生たちであった。

焚書の宣伝効果を上げるためには、イベントは夜でなければならなかった。また焚書には、スローガンと、それをみる観衆が必要であった。そこで「非ドイツ精神に抗して」というスローガンが叫ばれたが、これは魔女の死刑執行を前にして、魔女がいかに恐ろしいものであるのかを説教するセレモニーと類似したものであった。

焚書の中にはハインリヒ・マン、トーマ

ス・マン、エーリッヒ・ケストナー、ジークムント・フロイト、クルト・トゥホルスキー、エーリッヒ・マリア・レマルクなどの本が槍玉に挙げられた。このような状況の中で、ベルトルト・ブレヒト、アルフレート・デーブリーン、シュテファン・ゲオルゲ、オスカー・マリア・グラーフ、アンナ・ゼーガース、エルンスト・トラー、アーノルト・ツヴァイク、シュテファン・ツヴァイクなどの著名な作家たちを含め、およそ250人が亡命した。

ナチスの攻撃は文学のみならず、具体的には劇場、音楽、映画、絵画、建築などにも波及し、これらは非ドイツ的、退廃芸術とレッテルを張られた。その結果、ナチス賛美の芸術のみがはびこり、ドイツ国内でナチス批判の反対派はほとんど消滅した。焚書事件は「黄金の20年代」の自由な芸術活動に対するナチス的な粛清であった。このようにしてヒトラーの独裁国家が確立し、言論統制は徹底化されたのである。

（浜本隆志）

42

ベルリン・オリンピックの聖火リレー伝説

★バルカン半島への視線★

ベルリン・オリンピック（１９３６）

ナチスの政権奪取時の炎は、さらにナチス治世下におけるベルリン・オリンピック（１９３６）の聖火リレーにもつながる。これはオリンピックのイベントを盛り上げるアイディアとしてドイツで考案された。たしかに古代オリンピック発祥の地で聖火を点火するという発想は、１９２８年のアムステルダム大会に導入されていたが、聖火リレーはまだなかった。

ドイツのスポーツ行政家カール・ディームが、オリンピアで採った火を聖火としてランナーがこれをリレー方式でベルリンのスタジアムへ運ぶという一種のドラマの筋書きを作った。これは古代と現代を結び付けるという単純な問題ではなく、古代ギリシャ文明とゲルマン神話を結び付けようとする、ナチス的な文明観をクローズアップするものであった。

ベルリン・オリンピックは、ナチスのイデオロギーとアメリカを中心とする自由主義の対立の場となった。アメリカはアーリア人種主義を唱えるナチスに対抗するために、黒人選手を送り込み、対立を際立たせた。それに対抗するために、ドイツはベルリン・オリンピックをもっとも感動的に盛り上げるアイディアを提唱した。

当時、聖火リレーは一般にはラジオ中継されたが、そのルートには観衆が応援しながら見物したので、オリンピックムードを盛り上げる効果をもたらした。その意味でもよく考えられた企画であったといえる。とくにオリンピックのスタジアムで、最終ランナーが聖火台にトーチを掲げ、火を点すというクライマックスの場面を視覚的に演出することができたからである。その感動が代々のオリンピック競技に継承され、現代に至っている。

図 42-1：聖火リレー

ギリシャのオリンピアからベルリンへ

この一種のドラマは古代オリンピックをベルリン・オリンピック大会に結び付けるという、分かりやすいストーリーを持っていた。聖火は古代では実際には登場しなかったけれども、聖火というネーミングによって、かつてのオリンピックでも点されていたというイメージと錯覚を世界中の人びとに植え付けた。

こうした古代ギリシャと1936年のベルリン・オリンピックの連鎖は、聖火リレーのドラマに仕立て上げられた。1人が1キロメートルを担当し、合計3422人におよぶランナーと見物する観衆を巻き込みながら、リレーは視覚的に実況することができた。これは歴史の連続性を演出する、巧妙なトリックであった。熱狂を演出するスポーツの政治化であったともいえる。しかも、古代ギリシャの文明を受け継ぐのはゲルマン民族である、という神話を新たに創設したのである。

聖火ルートは、オリンピア――アテネ――ソフィア――ベオグラード――ブダペスト――ウィーン――プラハ――ベルリンとつながっている。このオリンピアからベルリンに至るコースは、視覚的に誰にも分かるイベントであった。拡大解釈をすれば、ベルリンとアテネ・オリンピアのルートは、古くは十字軍の陸上ルート、ナチス時代では、ドイツのバルカン半島侵攻のルートでもあったという歴史と重なる。

図 42-2：オリンピアからベルリンの聖火コース

聖火リレーのクライマックスは、ベルリンのオリンピックスタジアムに設けられた聖火台に最終ランナーが点火するシーンによって演出された。かつて陸上選手であった電気技師のフリッツ・シルゲンがその役を演じた。感動のシーンは映画監督のレニ・リーフェンシュタールの『オ

図 42-3：聖火のクライマックス、最終ランナー

リンピア』や『民族の祭典』の映画化で増幅された。これは映画というメディアが強力なインパクトを与えることを実証した。

（浜本隆志）

43

世界都市ゲルマニアとその瓦解

★夢の跡★

ヒトラーと建築

比類なき権力者となったヒトラーであったが、若き日に画家の夢が絶たれたとき、一時期、建築家を志したことがあった。したがって建築物にはとくに関心を示し、『わが闘争』の中で、記念物といわれる建築について次のようにいっている。

……わが国の大都市は、今日、都市の全印象を左右し、とかく前時代の記念物といわれるような記念碑的作品を持っていない。しかし、このようなものが、古代の諸都市にはみられたのであり、それらはほとんど、それぞれ誇りとすべき特別の記念建築物を持っていた。古代都市の特徴は……永遠の目的のために建てられたと思われる公共の記念物の中にあった。

（平野一郎・他訳）

ヒトラーがここで主張しているのは、古代ギリシャやローマなどの誇るべき建築物、すなわち民族の公共的な永遠のシンボルのことである。ヒトラーはこの調和のとれた古典の復活をモデルにしていたので、ムッソリーニとは異なり、そのスタイル

図 43-1：総統官邸ホール

は新古典主義的建築を目指していたといえるであろう。建物はまさしく権力の象徴であり、無言の力で威信をみせつける支配の装置であった。ヒトラー自身、自分を強大な皇帝か国王になぞらえ、古代ゲルマンを顕彰する永遠の記念碑を切望していたのである。

総統になってからも、かれの建築への関心は人一倍強かった。建築家シュペーアに設計させた新総統官邸は、１９３９年１月に完成したが、鷲のシンボルを中心に左右対称の新古典主義の威容を誇るものであった。ヒトラーはルイ14世がヴェルサイユ宮殿の鏡の間（74メートル）で権勢を誇示したのを意識し、廊下の長さをその２倍にした。来訪者はヒトラーの謁見の間や執務室まで１４６メートル（幅12メートル）の大理石の豪華な廊下を通らねばならなかった。これによってかれは謁見の際に相手を圧倒する心理的効果を狙った。

語り草になっているのは、ヒトラーがチェコスロバキア併合を強行した折に、時の大統領エミール・ハーハを１９３９年３月15日に、首相官邸に呼び寄せたときの演出である。この長い廊下は、ヒトラーの権力がいかに強大であるかを思い知らす、絶大な効果をおよぼした。その結果ヒトラーは、チェコスロバキア大統領に有無をいわさず併合を容認させてしまった。

幻の「ゲルマニア構想」

ヒトラーの誇大妄想はますます拡大し、首都ベルリンを、権力を誇示する世界首都「ゲルマニア」に大改造する構想を実行に移そうとしていた。かれは建築家シュペーアにヨーロッパのどの首都をも凌駕する設計案の作成を命じた。これはヒトラーの古代ゲルマン神話へのあこがれを示すものといえる。

ゲルマニア構想は、バウハウスの機能主義とは異なり、新古典主義ともいうべき調和のとれた壮大なベルリン改造計画であった。シュペーアの構想モデルが残っているが、それをみれば、パリのシャンゼリゼを超えることを意識した、南北120メートル幅の新大通りや、中央駅から凱旋門を通り、上方の300メートルのフォルクス・ハレが中心軸をなし、およそ左右対称形を意識していたことが分かる。しかしこの構想はもちろん、第二次世界大戦のために幻に終わってしまった。

図43-2：ゲルマニア構想（1939）

廃墟のベルリン

第二次世界大戦においてドイツが守勢に転ずると、1943年からベルリンはイギリス空軍によって爆撃され、難を逃れようと首都を離れる人びとが増えていった。東からはソ連軍、西からは英米仏の連合軍勢力に追い詰められ、ベルリンは連合国の最終的な攻撃目標にされ、いわゆるベルリン攻防戦が始まった。とくに総統府、各省庁が集中していたヴィルヘルム通りは徹底的に爆撃され、ほとんどの建物は瓦礫と化した。１９４５年４月になると、ドイツ軍は組織的な抵抗ができなくなった。

ベルリン一番乗りはソ連の赤軍であり、その最終目標は総統官邸の地下要塞に立てこもったヒトラーである。追い詰められたヒトラーはエヴァと結婚し、４月30日に服毒自殺をした。あとを託されたゲッベルスも、首相に任命されたが同様な最期を遂げた。やがてベルリンは崩壊し、残ったのは廃墟と瓦礫、敗残兵と生き残った住民であった。写真に示すのはナチス政権移行期の放火事件の舞台となった国会議事堂の廃墟である。ここもソ連軍と連合軍の攻撃の目標となり、残骸は長い間修復され

図 43-3：ベルリン攻防図

図 43-4：廃墟と化した国会議事堂

ずに放置された。こうして1945年5月2日、ベルリンは制圧され、ナチスドイツは5月8日に無条件降伏をした。

（浜本隆志）

Ⅷ

分割から再統一へ

44

東西ドイツとベルリンの分割

★冷戦の始まり★

ドイツの分割占領統治とベルリン

ナチスの崩壊以前から、連合国は「ヤルタ会談」などで戦後のドイツのあり方を議論していたが、第二次世界大戦後、戦勝国はまず国境線の線引きを行った。図44－1のように東プロイセンを、一部ソ連とポーランドが分割領有化した。同様にポーランドとドイツの国境を西へ移動させ、「オーデル・ナイセ線」によってポーランド領を拡大した。ここではすでに長年入植していたドイツ人が排除・追放されたので、およそ1500万人の「難民」がドイツ領を目指して移動せざるを得なかった。さらに問題のドイツ統治のあり方については、社会主義を目指すソ連と、自由主義のアメリカ、イギリス、フランスの意見が一致することはなかった。

まず世界的に脅威であったドイツの国力を削ぐための現実的な解決方法は、第二次世界大戦終結当時、戦勝国に分割統治されていた地域をもとに、そのまま統治を行うことに落ち着いた。その結果、社会主義対自由主義の対立が2つのドイツを生み出すことになった。こうして旧ソ連占領地域はドイツ民主共和国（東ドイツ）に、アメリカ、イギリス、フランス占領地域はドイツ連邦共和国（西ドイツ）に分かれ、一方は社会主義へ、他方は自由主義の道へ進んでいった。かつての同胞であったドイツは分割され、ちょうど第二次世界大戦後に直面した東西冷戦構造の真っただ中へ両国は組み込まれ、冷戦構造の接点で対峙することになったが、もっとも複雑であったのは首都ベルリンであった。

ベルリンは図44－2のようにソ連統治地区と、イギリス、フランス、アメリカ統治地区に分かれていた。ここでも共同統治は困難であったので、東西ベルリンに分割することになった。すなわち東ベルリンは東ドイツに、西ベルリンは西ドイツに統合された。東ベルリンは東ドイツの首都であったが、西ベルリンはそうではなく、首都はボンに移された。

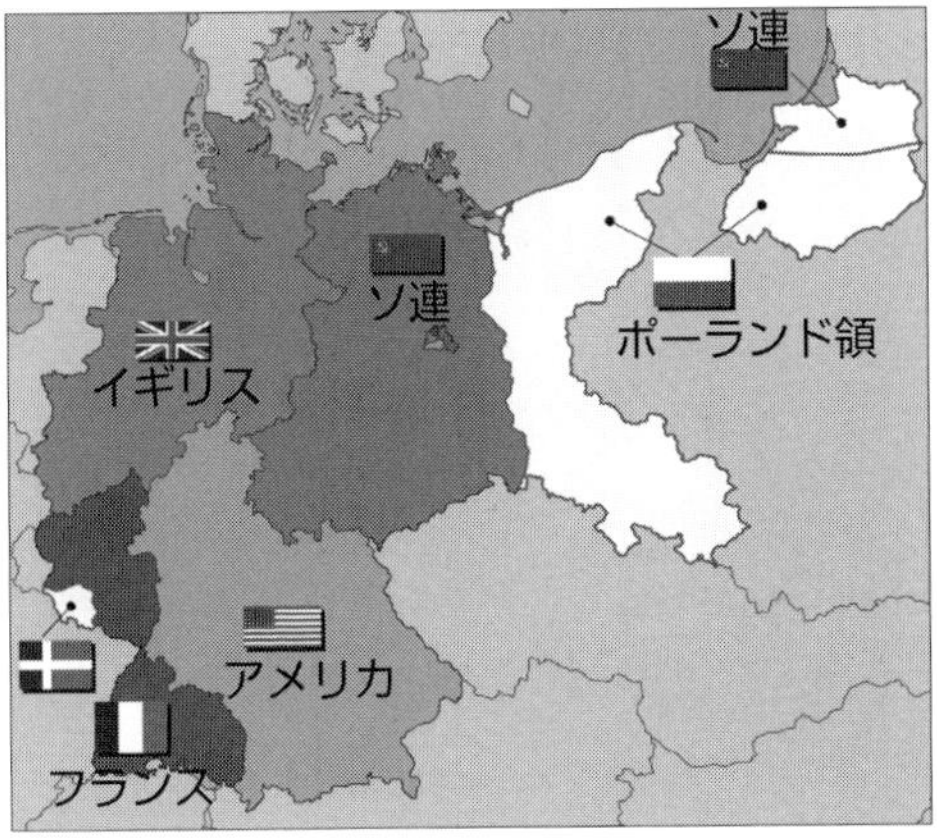

図44-1：戦後ドイツの国境線の変更、白地は割譲地（1947）

ベルリンの壁

その間、世界は各々の覇権をめぐって「冷戦」という名の東西の対立が深まっていった。ただし首都ベルリンは東西に分かれているとはいえ、占領初期においては行き来が自由であった。１９５８年にソ連のフルシチョフ首相が西ベルリンの非武装化を提案したが、これは西側の反対に遭遇した。さらに東西ベルリンの復興に大きな

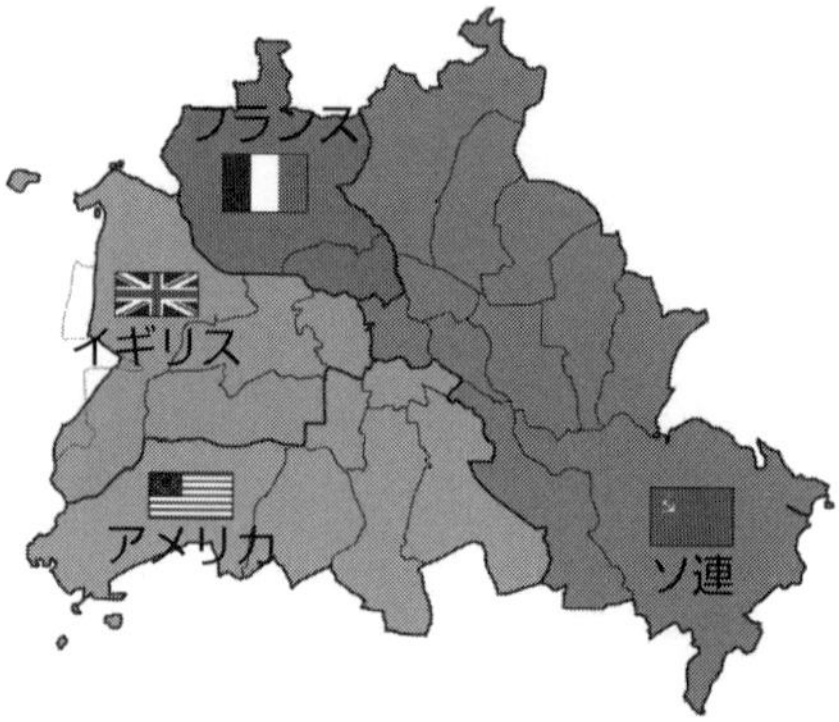

図 44-2：ベルリンのソ連統治地区とイギリス、フランス、アメリカ統治地区

差が生まれ、自由主義陣営地域の発展が目覚ましかった。その結果、経済格差によって、東から西へ移住する者があとを絶たなかった。移住者の総数は２７４万人に達したが、いうまでもなくその根底には、自由主義と共産主義のイデオロギー的対立があった。ベルリンは両国の対立がもっとも先鋭化する最前線となった。

西への移住を阻止するために、１９６１年８月13日に東ドイツは突然、ベルリンの国境に有刺鉄線を張りめぐらせ、やがてここに、高さ３メートルのコンクリート製の壁が築かれた。そのために東側に住み西側に働きに行く人、その逆のケースの移動が分断され、こうして壁はその境界に設けられた乗り越えられないシンボルとなった。ベルリンの壁は全長約１５６キロメートルにおよび、分断された都市が可視化された。

東側からいわせれば、ベルリンの壁は東ベルリンから西側への人口流出を防ぐために、そして労働力を確保するために採られた、やむを得ない手段であった。しかし現実には、資本主義経済が社会主義経済より、豊かな社会を創り出していたからである。東から西へ壁を乗り越えようとする者は、容赦なく射殺された。不意に出現した壁は、東ドイツ国境警備隊に守られた強固な砦となり、１９８９年11月９日まで、約28年間存続した。同時に、ベルリンだけでなく東西ドイツの国境線全域に有刺鉄線が張られ、いわゆる鉄のカーテンが作られた。

冷戦時代で最大の事件は、１９６８年の「プラハの春」というチェコスロバキアの民主化運動であった。ソ連を始めワルシャワ条約機構軍が戦車で同国を制圧して運動は押さえ付けられてしまったが、それは東西の対立の接点であったベルリンに、重苦しい圧迫感を与えるものであった。（浜本隆志）

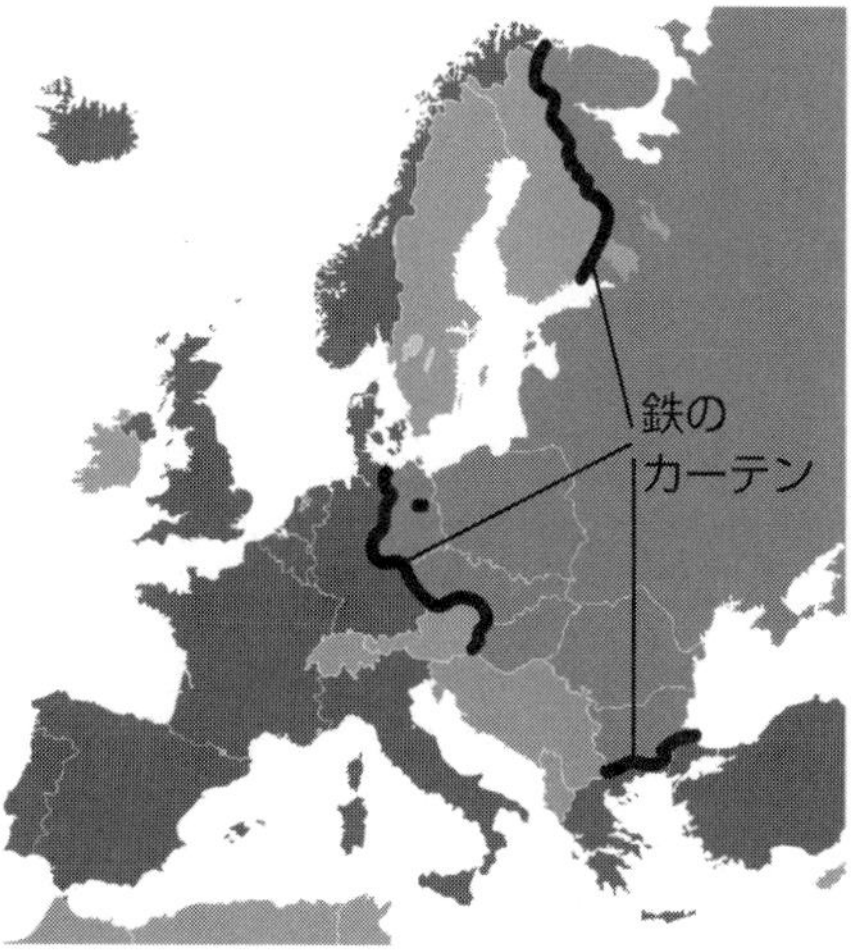

図 44-3：鉄のカーテン

45

鉄のカーテンを越えて

★私的なアーカイブ★

東ドイツ入国

筆者にとって東西の壁ともいえる鉄のカーテンを越えた経験は、壁の建設から15年を経た1976年7月のことである。ここからは私的なアーカイブとして体験談を交えて書くことを諒とされたい。筆者ははじめて旧東ドイツに入国し、最初はベルリンではなくライプツィヒに滞在した。陸続きに国境を持たぬ国に育った者にとって、東西冷戦下の接点に位置する国境を通過するのは、はじめての経験であり、いささか緊張感を持って入国に臨んだ。

東ドイツへ入るルートはいくつかあったが、西ドイツのフランクフルトから列車で国境を越えるルートを選んだ。列車に乗り込むと、同席したドイツ人が話しかけてきた。日本から来てモノ好きにも東ドイツに行くというと、珍しそうにその理由を、根掘り葉掘り尋ねてくる。

バッハの「聖トーマス教会」やゲヴァントハウス管弦楽団ゆかりの地をみたいとか、ゲーテの『ファウスト』に登場するアウエルバッハス・ケラーも覗きたいなどといっても、かれは音楽や文学に関心がないのか、ピンとこないようであった。「東は自由のない国だ、西側の人間は監視されるぞ」、「国境の向こうでは気を付けて。良い旅行を！」といって、かれは途中のフルダで降りていった。やがてゲルストゥンゲンという国境の小さな駅で列車は止まり、運転手と車掌が西から東の人間に入れ替わる。

東ドイツの若い国境警備兵と女性の車掌が乗り込んできた。銃を持っているので列車内に異様な緊張感が走る。警備兵は列車の座席や網棚を点検する。筆者ではなかったが、西側の雑誌を持っていた人はそれを没収され、トランクの中を点検されていた。筆者も入国許可証（ビザ）とパスポートの提示を求められ、警備兵は鋭い目で顔と写真を照合した。それから車掌に切符の確認をされた。

1時間以上列車は停止していたが、やがてのろのろと動き出した。車両は国が分断されていた時代でも東西ドイツ共用で、乗り換える必要はない。窓から外をみると、国境の鉄条網が夏草を分けるように延々と続いていた。それはまさに「鉄のカーテン」そのものであり、乗り越えることはとても不可能な分断線のようにみえた。

東ドイツ市民の日常

入国した当初は、「鉄のカーテン」の内部はよく分からなかった。西側から来た人間に対して、東の人びとは用心して距離を置いていたからである。しかし、しだいに親しくなると本音を語ってくれるようになり、だんだん様子が分かってきた。また西側の情報は、西ベルリンからのテレビ放送を通じて、東で勝手にみることができた。電波は壁で遮ることができないからである。

東の国営放送より西の娯楽番組の方が好まれていた。とくに人気があったのはクイズで、正解すれば車1台とか豪華な賞品がもらえるというありふれた番組である。それでも人びとは羨望の眼差しで画面を食い入るように眺め、東ドイツ市民のフラストレーションを増幅させた。今考えてみると、この番組は、質素な消費生活を強いられていた東側の人びとに対する、西側の宣伝キャンペーンであったように思われる。

実際、東ドイツの市民にとっての最大の関心事は、西側の豊かな消費物資であった。東ではパン、ジャガイモなどの生活必需品、家賃は驚くほど安かったが、高級化粧品、電化製品、タバコ、コーヒーなどぜいたく品はびっくりするほど高かった。西ドイツマルクかドルでしか買い物ができないインターショップには、たしかに西側の高級商品が並んでいる。しかし、西側の紙幣を持っていない市民たちは、羨望の眼差しでそのショーウィンドウをみるだけであった。

外国人をみかけると、東ドイツ市民は声をかけてくる。東ドイツマルクを西ドイツマルクかドルに交換してくれという。これは禁止されていた行為であり、公式には1対1の交換レートがあった。しかし実態レート、いわゆる闇では1対6ないし1対7である。つまり西マルク1持っておれば6、7東マルクと交換ということになる。筆者はもちろんその話に乗ったことはないが、インターショップは東ドイツ政府が、西側の親戚や知人を持つ東ドイツ市民から西側の紙幣を回収するために設けた制度であった。これは必要悪とはいえ、政策的には完全に失敗であったと思う。というのも、東ドイツ市民の西へのあこがれを刺激するだけで、西側紙幣を持っていない民衆にとっては、現実に屈折した感情を増幅させるだけのものであったからだ。

東ドイツ市民は物価の安さ、家賃、公共料金の優遇、社会福祉の充実、失業のないことは当然のこととして、その上に豊かな消費生活を望んでいた。これが再統一後の選挙において、大きな誤算を生み出した最大の要因であった。かれらの、ほとんど大部分の労働者たちは、失業などを経験したことがなかった。みんな仕事に就くことができ、名目では失業率ゼロパーセントであり、勤務先が倒産することなどは想定外のことであったからだ。

それを知らずにかれらの多くは、壁崩壊後の選挙の投票の折に西ドイツの姉妹政党のCDU（キリスト教民主同盟）を選んだ。しかし実際には再統一後、東側の公営ないし国営企業は西側資本と競合するとひとたまりもなく、バタバタと倒産していった。こうして多くの失業した東ドイツ市民たちは、資本主義の実態を知り、仕事を求めて旧西ドイツへ移住した。再統一の熱気が冷めると、東ドイツ市民は現実を冷静にみるようになり、この変化がその後の政治に複雑な影を投げかけた。みんなが勝者と感じていた西ドイツ市民にも統一税が課せられ、東ドイツ復興の負担を強いられた。

図45-1：インターショップ

ソ連兵との出会い

話はベルリンの壁崩壊の前に立ち戻るが、東ドイツ内で気付いたことがある。「ソ連との連帯」という政権政党SED（社会主義統一党）のスローガンとは裏腹に、東ドイツ国民は旧ソ連に対して明らかに反感を持っていたということだ。いわゆる面従腹背である。それは駐留していたソ連兵の態度をみれば、筆者のような外国人でもすぐ分かった。かれらは末端の兵士でも東ドイツを支配しているという意識を隠さなかった。

あるとき筆者は、ライプツィヒの駅でチケットを買うために列を作って並んでいた。そこへ若いソ連兵が行列に並ばず、先頭へ割り込んできた。駅員は苦々しい表情をしながらもチケットを売った。周りの人びとはその光景をみて、口笛を吹きながら、そして靴を踏みつけて音を立てながらソ連兵を非難したが、かれは横柄な態度でそれを無視して立ち去った。重苦しい占領体制の現実を垣間見てしまったが、それはまた、ソ連と東ドイツの関係の本質的な側面であった。

親しくなった東ドイツの知人にそのことを話すと、そんなことは取るに足らぬ些細なことであるとの由。第二次世界大戦後ソ連の占領軍は、撤退するとき鉄道の線路のレールを剝がして持ち去ったという。「それは1万2000キロメートルにわたる長さで、産業機械などめぼしいものも合わせて収奪された。われわれはなくなったレールを敷き直し、機械を作って再出発しなければならなかったのだ」と怒りをぶちまけられた。これらはソ連にしてみれば戦利品であり、名目は賠償金の代替であった。敗者はいつも泣き寝入りしなければならないという歴史のひとコマである。

ソ連兵とはレストランで何度か出くわした。かれらが近づいてくる目的は、ドルか西マルクの交換取り引きの話である。断っても飲もうといって同席してくる。みるとたぶん20歳にも満たぬ少年である。かれはドイツ語をほとんど理解しなかったが、コーカサス（カフカス）地方のチェチェン出身であることが分かった。酒のせいなのか、酔っぱらった若者はやがて、故郷へ帰りたいといってすすり泣いた。いや、その涙は酒のせいではなかった。

ソ連兵は目にみえぬ東西冷戦体制の壁の向こう側にいる若者であったが、軍服を脱げば、どこの世界にもいる純情な人間にすぎなかった。徴兵制度のために故郷を離れて遠く東ドイツへ派遣されたが、望郷の念に駆られたのであろう。それからあとは、ソ連兵に対する見方が変わったような気がした。民衆はたえず政治に振り回されている現実をみせつけられたからである。

（浜本隆志）

46

壁の崩壊直後の現場にて

★歴史が動くとき★

東ベルリンからみた壁

筆者がベルリンの壁をはじめて東側からみたのは1976年であるから、壁の建設から15年後のことである。当時、ウンター・デン・リンデンは東ドイツ地区にあったが、通りは封鎖され、ブランデンブルク門は東西分断のシンボルになっていた。門の手前はよく見通せるように建物や樹木はなく、壁沿いは荒涼とした空き地の帯が続いている。真偽のほどは分からぬが、ここには地雷が埋めてあるといううわさを聞いた。そこを国境警備兵が、銃を持っていつでも発砲できるように目を光らせていた。その向こうのコンクリートの壁はとても強固にみえ、1989年11月にあれほど脆く崩れ去ってしまうとはとても思えなかった。

かつて筆者は1989年の春から1年間、旧西ドイツ中部の小都市ジーゲンに留学していた。ちょうどそれはベルリンの壁の崩壊が始まる激動の年であった。樹の葉も落ち秋が深まる頃、旧東ドイツでデモが多発している状況が、西側のテレビでも連日映し出されていた。デモはライプツィヒの月曜集会からドレスデンを中心に広がり、東ベルリンへ波及していった。

第46章

壁の崩壊直後の現場にて

図46-1：西ベルリンから見た壁と東ベルリンの分離帯（1986）　図46-2：監視塔

その直接のきっかけは、東側のハンガリーやかつてのチェコスロバキアが東ドイツ市民のために、オーストリアと接する国境を開けたことにある。当時、東ドイツでは東欧や旧ソ連への旅行は許可されていたが、一般市民が西側の国々へ出国したり、旅行したりすることは禁じられていた。しかし、東欧圏の隣国が国境を開放することによって、東ドイツ市民も東欧圏のハンガリーやチェコスロバキアから中立国オーストリアを経由して、西側へ移動することが可能となった。すなわちダムが決壊したように、東ドイツから不満を持った市民たちが、このルートで西ドイツへと流出したのである。

当時の東ドイツ政府のクレンツ議長は、従来の封じ込め政策を転換し、西側への自由な通行を容認せざるを得なくなった。この流れの中で、１９８９年11月９日に東ベルリンから西ベルリンへの通行が自由化された。これがベルリンの壁の崩壊の始まりであった。

図46-3：1989年11月10日、ブランデンブルク門の壁に群がる市民たち

壁崩壊の歴史的現場にて

筆者は矢も楯もたまらず、列車を乗り継いで西ベルリンへ駆けつけた。11月10日、ブランデンブルク門の前の熱狂した民衆の中に身を置くと、歴史的瞬間にいることをしみじみ実感した。当時の人びとは喜々として陽気に、まさしくお祭り騒ぎの渦中にあった。

東ドイツの市民に西の１００マルクが祝儀として進呈され、かれらはそれを握りしめ、夢にまでみた品物を西ベルリンで買いあさった。バナナが飛ぶように売れたが、それは旧東ドイツでは、行列に並んでも買えない人気の果物であったからだ。しかも当時、西マルクと東マルクのレートが実質１対６か７であったにもかかわらず、東西マルクの１対１の対等交換政策が伝えられた。壁によって閉鎖されていたことへの鬱憤を晴らすように、東ドイツ市民は統一ドイツへ向かう未来のパラダイスに酔いしれ、すさまじい勢いで欲しい消費物資を手に入れた。西ドイツのコール首相が演説でその夢を振りまいたので、無理もない。しかし陶酔から醒めると、やがて貯金が底をつき勤務先が倒産するという現実が待ち構えていた。

歴史を振り返ってみると、ベルリンの壁が崩壊した１９８９年と同じ11月9日は、71年前の１９１

8年にヴィルヘルム2世が退位し、帝政が崩壊してワイマル共和国が発足した日であった。その5年後の1923年11月9日はヒトラーが企てたミュンヘン一揆が鎮圧された日でもある。これらは歴史の偶然の一致であるが、第二帝国崩壊、ワイマル共和国の成立、第三帝国の予感、東西ドイツの分裂から壁の崩壊という、ドイツ現代史の大きな時の流れを連想させる日といえる。

図46-4：ブランデンブルク門、旧東側から旧西側を望む

かつて1976年に筆者が東側からみた壁は、近づくことのできぬ灰色のコンクリートであったが、1989年の壁崩壊時に西側からみると、同じ壁がカラフルなペンキで塗られた、芸術的なキャンバスであった。東と西の壁が表すコントラストの背景には、東西ドイツの国情の差が暗示されていた。その後、ベルリンの運命、いやドイツの運命は大きく変化した。旧東ドイツの崩壊、ドイツ再統一、ボンからベルリンへの首都の移転など、大きな歴史的転換が次々と続いた。次章ではそのうち、首都移転の経緯についてみておこう。

（浜本隆志）

47

首都はベルリンかボンか

★一極集中と連邦制★

再統一後の首都ベルリン

1991年6月の連邦議会において、再統一後の首都をベルリンとボンのどちらにするのか激論が交わされ、僅差でベルリンに決定した。1990年10月3日にドイツは再統一したが、これまでの歴史経緯から、ベルリン案がすんなりと通ったわけではない。しかし東西両ドイツ、東西ベルリンの分断国家・都市の悲劇を修復するためには、東西ベルリンを再統一ドイツのシンボルにしたいというのが、新生ドイツの人びとの本音であった。

元をたどればナチス敗退後、西ドイツは小都市のボンを暫定的に首都にした。それには、新生ドイツがナチス時代の「世界都市」ベルリンの中央集権体制から、断絶したことを発信する意図があった。たしかに当時の首相アデナウアーの出身地であったケルンに近い、ボンが選ばれたという見解もあるが、そこには連合国側にベルリンを避ける強い意志と、西ドイツ市民の贖罪の意味があったことが第一の理由である。

以上の経緯から、ベルリンに首都機能を集中させることに異論も多く、それはナチスへの反省だけでなく、ボンから政府機能を移転させると経済的な負担が拡大する、という理由も大きかった。結論的にはベルリンを首都にということになるが、これはドイツの伝統的な地方分権制の歴史的背景とどのような整合性を持っていたのか。結論は立法機能をベルリンへ、行政機能をボンへ、司法機能をカールスルーエに、文化メディア庁（ＢＫＭ）をベルリンとボンに分散させることに落ち着いた。結局、政府機関の省庁はベルリンに８つ、ボンに６つが置かれることになった。

ベルリンが再統一後の首都となった後、ブランデンブルク州とベルリン市（州）との統合案が提起された。地図でみるとベルリンは同州の中心核に相当し、双方の位置関係が緊密であることが分かる。統合はそれぞれの住民の投票によって決定されることになった。投票結果は、ベルリン市では統合賛成、ブランデンブルク州では統合反対が多数を占めたので、統合案は却下された。ブランデンブルク州はベルリンに吸収合併されることを嫌ったのである。ここにも地方分権のバネが作用したといえる。

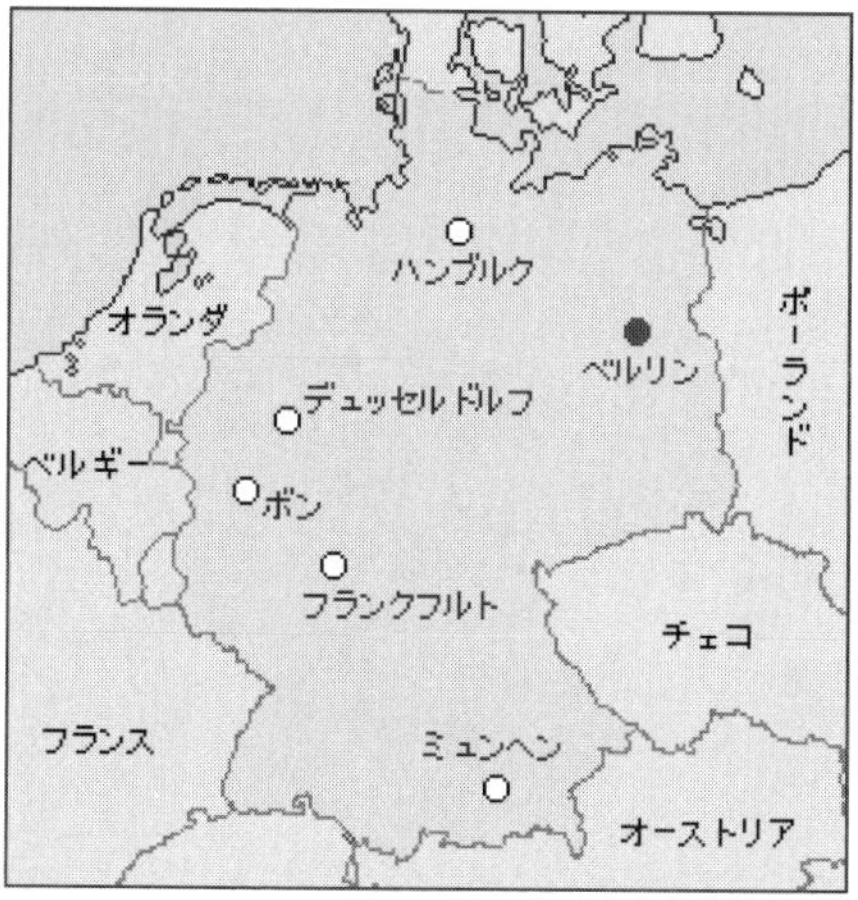

図 47-1：ドイツ略図、外務省ホームページより

ベルリンは日本の東京一極集中とは異なる、一種の地方分権的な首都体制といえよう。ちなみに日本でも立法、行政、司法の東京一極集中の弊害が議題に上がり、ようやく文化庁が２０２２年に京都に移

転する予定といわれ、地方分権は緒に就いたばかりであるが、その後の抜本的な分権の方向性は打ち出されていない。日本の場合、首都機能を東京から移すことは、現時点では議論の俎上に載せる前の段階である。

ドイツの地方分権制の伝統

ではドイツの地方分権制はどのような時代背景があったのか、もう少しみておこう。フランスは早くから中央集権国家であったが、ドイツは本来、郷土意識が強く、歴史的に地方分権的な統治が行われてきた。たとえばドイツには、オーストリアなどを包括する神聖ローマ帝国というゆるやかな連合国家はあったが、それは統一国家とはいい難いものである。中世から自治権のある帝国自由都市やハンザ同盟の伝統があり、その上19世紀前半まで300余りの多数の領邦が分立して連合体で成り立っていた。加えて北ドイツのプロテスタントと南ドイツのカトリックという、地域的な宗教的・国民的気質も大きく異なる。これらがドイツの地方分権制を生み出す根源である。

ただし、ドイツの統一によるドイツ帝国の成立（1871）、それ以降のナショナリズムの高揚、急速な資本主義化、帝国主義化による植民地競争への参画、極めつけのヒトラーの独裁体制は、極端なベルリン一極集中という国家を構築してしまった。これは伝統的なドイツの地方分権制とは異質なものであった。しかもベルリンは、その一極集中体制の中枢の要《かなめ》を担ってきた。このようなドイツの近・現代史の反省から、再統一ドイツ成立の際に、首都をベルリンにするのかボンにするのかという激論が交わされてきたのである。さらにその延長線上で、ドイツは結果的に連邦制が堅持されたといえよう。

特徴的な地方分権制は、州単位の連邦制で運営されているが、それだけでなく、都市も一種の州と

図47-2：ドイツの16州

同格のものがある。たとえば、ハンザ同盟都市の伝統を持つ最小のブレーメンを州として遇し、自由ハンザ都市ブレーメン（飛び地のブレーマーハーフェンを含む、人口68万人）としている。ハンブルク州の名称も自由ハンザ都市ハンブルク（人口185万人）と、都市が州扱いである。なおベルリン州（人口368万人）もほぼ都市が州に格付けされている。再統一後、旧東ドイツ地域の4州も吸収合併され、旧西ドイツと同様の大幅な自治権を有する合計16州となった。なお最大の州は、工業地帯を擁するノルトライン＝ヴェストファーレン州の人口1800万人である。

行政については、国家の行政権と州のそれの住み分けがなされている。たとえば国家を形成する連邦政府は、外交と防衛、通貨、通商、連邦税、連邦管轄の広域交通などを統括するが、住民の生活にかかわる立法はおもに州や地方自治体に委ねられている。すなわち州はひとつのまとまった小国家の形態をなし、ここにも首相と各担当大臣が存在する。その具体的な管轄範囲は教育・文化行政、裁判や警察という自治・公安行政、地域行政などである。とくに連邦国家の内閣に日本のような文部科学大臣を置いていないので、これによって、州が独自に教育・文化の面で特色を打ち出すことが可能となる。

地方分権制の最大のメリットは、一極集中ではない地域文化の涵養にあるといえる。ドイツでは大都市は少なく、中規模の地方都市が各地に分散し、そこを核にして独自の地域の歴史や文化的伝統が守られている。地場産業、郷土博物館、資料館、音楽ホールが大切にされ、また地域密着型の各種のスポーツ、同好会活動が盛んで、それによって地域住民の交流と連帯が図られる。いい意味での郷土文化が維持・継承されるゆえんである。

（浜本隆志）

48

ドイツ再統一とユグノーの恩返し

★歴史の連鎖★

ロタール・デメジエール東ドイツ首相

ベルリンの壁崩壊から1990年10月3日のドイツ再統一までの約1年間は、激動の時代であった。その際、1990年3月18日の東ドイツ初の自由選挙が歴史的転換点となった。東ドイツのロタール・デメジエールが勝利し、首相となって組閣を行った。かれは約200年前にフランスのロレーヌ地方を追われたユグノー貴族の末裔である。牧師の家庭に育ったデメジエールであったが、かれは音楽家を目指した。だが神経炎で断念することになり、ベルリン・フンボルト大学の通信教育課程で法律を修め、政治家に転身した。

そこでかれが引き立てたのが、後に首相となるアンゲラ・メルケルである。メルケルの父もプロテスタントの牧師であった経歴の類似性からか、デメジエールはメルケルを抜擢した。首相と副報道官として2人で並んだ写真が残っているが（図48―1）、メルケルは首相にとって、信仰の面だけでなく、ロシア語が堪能であったので、対ソ連交渉に必要な人材と見込んだのであろう。メルケルも牧師の父の影響で、ユグノーの末裔の首相に親近感を覚えたものと考えられる。

図48-1：ユグノーの末裔デメジエール首相とメルケル副報道官（後の連邦首相）

ルターの宗教改革以来、ヨーロッパではカトリックとプロテスタントの激しい宗教戦争があったことはよく知られている。フランスのプロテスタントを通常、ユグノーと呼ぶが、前述のように、フランスでも1562年から98年かけて、激しいユグノー戦争があった。宗派の対立はその後も続き、1685年に時の国王ルイ14世は、宗教寛容を謳った「ナントの勅令」を廃し、カトリックの立場からユグノーを排除・追放し始めた。フランスを支えていた商工業者、文人たちの多くはユグノーであったが、かれらの流出は、フランスの国力を割くものにほかならなかった。この流れの中で、1685年にプロイセン公国（ブランデンブルク選帝国）の王、フリードリヒ・ヴィルヘルムは「ポツダム勅令」を公布し、フランスのユグノーをプロイセン公国へ受け入れることを決断した。ドイツの歴史の中で、圧倒的多数のユグノーの受け入れは、宗教的寛容の精神の表れであった。加えてユグノーは、プロイセンに大きな経済的・文化的効果をもたらした。ユグノーはプロイセンと同じプロテスタントの会派であったため受け入れられやすかったという背景もある。

あのグリム兄弟が童話収集の際に、カッセルで親交があったユグノー亡命貴族の末裔であるハッセンプフルーク家の3人の娘たち、とくにマリーからフランス童話を聞き、それをドイツ化した事実は知る人ぞ知る。グリム童話のルーツの多くはフランス童話だったのだ。ハッセンプフルーク家では当時、19世紀前半でもフランス語が話されていた。

その後ベルリンでは、文豪フォンターネ（1819〜1898）もユグノーの末裔で、文学の領域で活躍した。このようなユグノーの歴史の連鎖は、ドイツ文化においても考え深い示唆を残している。ドイツ再統一においては、当時の西ドイツのコール首相が巧妙な戦略を駆使したことも特筆しなければならないが、ユグノーの末裔であったデメジエール東ドイツ首相も、大きな歴史的役割を果たしたといえよう。

しかし暫定的な首相のデメジエールは、秘密警察のシュタージに協力していたことが明らかになり、やがて失脚した。東ドイツ出身のメルケルはその後、旧西ドイツのキリスト教民主同盟（CDU）に入党し、それからのキャリアはよく知られている。彼女はコール首相に引き立てられて入閣し、最後は首相にまで上り詰めた。もちろんメルケル首相はユグノーと直接的な関係はないが、家系がプロテスタントの牧師という意味においてデメジエールと共通項があった。

トーマス・デメジエール

ユグノー話にはまだ続編がある。デメジエールのいとこのトーマス・デメジエールは、西ドイツで育って政治家になっていた。かれはメルケルが首相になったとき、彼女の組閣で連邦首相府長官に、第2次内閣では内閣の内相、国防相に抜擢された。第3次内閣においても再び内相に任用されている。かれはメルケル首相の懐刀といわれた有能な政治家であった。メルケル首相は自分を引き立ててくれたロタール・デメジエールに対して、いとこを厚遇することで報いたのである。

しかしトーマス・デメジエールは、イスラームのヴェールであるブルカやニカブを、コスモポリタンの視点からドイツで排除しようとした。メルケル首相もその見解を支持した。国内で生活をするなら、イスラーム文化に固執せず同化してほしいという願いからである。それはトーマス・デメジエールの先祖がユグノーであったことと無関係ではなかったといえよう。たしかにキリスト教同士の同化とイスラームのそれを同列に扱うことはできないが、トーマス・デメジエールの政治姿勢は、かれの出自の歴史に学んだものであった。

図 48-2：トーマス・デメジエール

ベルリンには現在でもユグノーの記憶が鮮明に残っている。ベルリンのフランス大聖堂にはユグノーの博物館があることを勘案すると、末裔たちの登場はドイツの統合に大きな影響を与えるものであった。すでに19～20世紀の独仏の意趣返しという負の歴史をみてきたが、亡命したユグノーに対するプロイセンの恩情政策は、めぐりめぐってドイツの転換期に、一種のユグノーの恩返しとして返ってきたと解釈できる。先祖の受けた恩を東西ドイツの統合の際に返すことと、戦争の意趣返しには極端な落差がありすぎる。長年にわたる歴史的経緯の中で、移民や難民もユグノーのように同化し、いつの日かドイツ人として大きな役割を発揮するかもしれない。

ヨーロッパ史の解釈に、日本的な「恩返し」という概念を用いることに異論があることは承知している。しかし、合理主義や科学主義によって分析するヨーロッパ歴史学も、一皮むけばそこには怨念と嫉妬が渦巻く、どろどろとした人間の行動原理が規定していることに変わりはない。これはすべてに共通する普遍的な人間心理であるように思われる。

ドイツの良心

メルケル首相は首相在任中に、大量に発生したシリア難民を受け入れる政策を発表した（47ページ参照）。これはドイツ国内に賛否両論を引き起こし、とりわけ極右のドイツのための選択肢から強烈な批判を受けた。さらにそれはEU全体のポピュリズムを巻き込み、各国のナショナリズムを覚醒させ、EU全体の亀裂と揺らぎを生み出した。このポピュリズムの連鎖は現在も続いている。

その結果、メルケル首相の支持率は下がり、キリスト教民主同盟の地盤沈下が顕著になった。しかしメルケルはそれでも難民政策を撤回しなかった。それは牧師の娘に生まれた彼女の揺るぎない信念であったように思う。難民救済はプロテスタントの博愛主義やコスモポリタニズムの次元にとどまるだけでなく、さらにナチスの蛮行や東ドイツ時代の弱者への眼差しも重ね合わせたものであった。

東独時代のメルケルは、聡明な学生であったが、目立った政治活動をしていない。優秀な成績で学位を取得し、物理学の研究者として科学アカデミーで働いていた。彼女は壁の崩壊するプロセスを見極め、ようやく政治にコミットするようになった。最初は東ドイツにできたキリスト教民主同盟（CDU）に入り、そこで頭角を現して前述のロタール・デメジエールに見出された。それからの彼女のキャリアはよく知られているので、ここでは繰り返さない。

人生の半分近くを東ドイツで過ごし、社会主義の教育を受け、その後、政治家に転身したメルケル首相は、社会主義の長所短所を身をもって体験していた。同様に眼前で展開されている資本主義も、複眼的に観察していた。それは国際政治についてもいえることである。しかしその根底にあったものは、繰り返すが、父から教えられたキリスト教的ヒューマニズムではなかったか。彼女はやむにやまれぬ気持ちで難民を救済しようとした。どんな批判を受けても、そして退陣せざるを得なくなっても、彼女は後悔などしていない。それがナチスを体験したドイツの良心であったからだ。

（浜本隆志）

49

オスタルギーとメルケルの涙

★東西ベルリンの狭間で★

オスタルギーとは

ベルリンの壁崩壊からドイツ再統一のプロセスにおいて、政治・社会体制、社会慣習などのあらゆる文化は、旧西ドイツのスタンダードに合わされた。まさしく資本主義の市場原理が東ベルリンを支配し、瞬く間にベルリンは弱肉強食の世界に変貌した。再統一当時、オッシー（東ドイツ市民）、ヴェッシー（西ドイツ市民）という流行語が生まれ、とくに旧東ドイツ市民の戸惑いは大きかった。夢にみた資本主義の豊かな物質社会が、大きな失望に変化したからである。その心情がオスタルギーという言葉を醸成した。

オスタルギー（Ostalgie）は、東ドイツの東（オスト Ost）と郷愁（ノスタルギー Nostalgie）を合成した造語で、旧東ドイツへの郷愁を表す。東ドイツに暮らしていた人びとのオスタルギーという心情は、単純な社会主義体制への回帰ではなく、急速な資本主義への同化を求められた旧東ドイツの人びとの戸惑いの方に力点が置かれていた。人びとは両体制の狭間で現実に対峙しなければならなかったからである。

2003年に公開された『グッバイ、レーニン！』というド

図 49-1：ニーナ・ハーゲン（1981）

イツ映画がはやったが、これは旧東ドイツ市民たちの、体制変化後の心情をコメディータッチでつづったものである。主人公アレックスは自由を求めてデモに参加する青年であったが、母親思いである。他方、母親は社会主義に忠実で、それを理想化している人物であった。しかし、息子がデモに参加をしているのをみて、心臓発作を起こして昏睡状態に陥る。が、母は8カ月後に意識を取り戻すことができた。

昏睡状態の間に壁は崩壊し、社会主義は変貌を遂げていた。息子アレックスは、体制の変化を知らない母を失望させないために、健気にトリックを使って虚構の社会主義の世界を作り出す。その世界はフィクションとリアリティが逆転したものであった。しかし目覚めた母親は、壁崩壊後の現実の世界をみてしまう。映画は、屈折した東ベルリンの置かれた当時の体制変化の世界を見事に抉り出している。

メルケルの涙

最近のニュースでは、2021年12月2日、メルケル首相の退任式で彼女は東ドイツの青春時代のヒット曲、ニーナ・ハーゲンのパンクロック「カラーフィルムを忘れたのね」と、ヒルデガルト・クネフの「わたしに赤いバラの雨を降らせて」などを所望した。退任式の際に、音楽隊の演奏に退任する前首相は涙を浮かべた。メルケル首相の胸中では、旧東ドイツ時代の想い出が去来したことであろう。メルケルの退任式について書く前に、ここでまずニーナ・ハーゲンや彼女と近い関係にあったヴォルフ・ビーアマンについて簡単に触れておきたい。

ニーナ・ハーゲンは1955年東ベルリン生まれで、メルケル前首相と同世代である。母親が女優であったこともあって彼女も女優を目指すがかなわず、バンドを結成して音楽活動を始める。一時期、詩人でシンガーソングライターのヴォルフ・ビーアマンとニーナ・ハーゲンの母親が同棲生活を送っていたので、彼女はビーアマンを父のように慕った。

図49-2：ヴォルフ・ビーアマン（1989）

ビーアマンは1936年に西ドイツで生まれた。両親が熱烈な共産主義者であったが、アウシュヴィッツで虐殺されたユダヤ人の父の影響もあって、ビーアマンは戦後、西ドイツで共産主義にあこがれる若者に成長した。16歳のとき希望に燃えて東ドイツに移住し、やがてベルリンのフンボルト大学で政治経済学を学んだ。しかし壁の構築後、社会主義統一党（SED）の政策に批判的になり、共産主義に失望する。ビーアマンは度重なる政府批判の活動により、シュタージ（秘密警察）にマークされ、1976年に西ドイツ演奏旅行中に東ドイツ国籍を剥奪され、結果的に西ドイツに亡命した。

ニーナ・ハーゲンも東ドイツで人気を博すパンク歌手となるが、反体制歌手ビーアマンを公然と擁護したので、同様に東ドイツの国籍を奪われ、西側へ亡命した。当時の東ドイツの著名な作家たち、ハイナー・ミュラー、シュテファン・ハイム、フォルカー・ブラウン、クリスタ・ヴォルフなどが党の決定に盾突いて、ビーアマンを擁護する署名活動をした。東ドイツを揺るがしたこのようなビーアマン事件を、多感なメルケルは東ドイツの中でみていたのである。ハンブルク生まれのメルケルがハンブルク出身の有名人、ビーアマンを知らないはずがなかった。

当時メルケルは22歳、彼女は外面では東ベルリンで社会主義に順応し、その中で生きてきた優等生であった。しかし退任式で反体制歌手のニーナ・ハーゲンに惹かれた青春時代のことを披瀝した。選曲の理由を尋ねられると、これらの曲が「私の青春時代のハイライトであった」と答えている。今や東ドイツも西ドイツもないが、オスタルギーを感じられるのは、たしかに東ドイツ出身者だけである。ただメルケルの場合、それはオスタルギーという言葉だけで済まされない深い意味を持っていた。

彼女は16年間ドイツの首相を務め、EUを牽引し、アメリカ、ロシア、中国と渡り合ってきた。そしてドイツの未来を、退任式に臨席した次期首相のショルツに託した。「女帝」ともいわれた冷静なメルケルでも退任式で涙をみせた。万感が胸に迫ってきたのだろう。メルケルの涙は、オスタルギーの背後にある東ドイツの青春時代の彼女の本心を物語っていたように思う。彼女は東ドイツで展開されていた反体制運動にシンパシーを感じていたのである。もうそれを披瀝しても、政界から身を引く彼女には失うものは何もない。人間メルケルを吐露した退任式は、彼女のフィナーレを演出する最高の舞台であった。

（浜本隆志）

50

ドイツ無血再統一

★生き残ったアンペルマン★

ドイツ無血再統一の背景

グローバル化した現代の歴史は、東西の遠く隔てた場所であっても瞬時に伝わっていく。1989年6月4日に中国で天安門事件が発生し、そこでは悲惨なことにおびただしい血が流された。そのニュースは中継され、西ドイツのテレビを通じて東ドイツの市民に瞬時に伝わった。驚くべきことに東ドイツ政府は、社会主義の連帯という名目で中国の弾圧を支持した。これは東ドイツの市民たちに大きなショックと警告を与えた。

ベルリンの壁崩壊の直接の発端は、1989年8月のハンガリーの国境開放にさかのぼり、それを契機に、東ドイツの市民の西への移動の道が開かれ始めると、デモが東ドイツで多発した。その際、東ドイツ市民は暗黙裡に天安門事件を教訓にしているようであった。当時、筆者は西ドイツの小都市ジーゲンにいて、直接東側へ入ったわけではないが、西ドイツで放映されるテレビのデモの映像から、そのような印象を受けた。

東ドイツの市民は整然とデモをし、党と市民との対話集会すら開かれた。1989年秋から東ベルリンやライプツィヒの人びとは、「われわれこそが国民だ」（Wir sind das Volk.）というスローガンを掲げて、定期的なデモを始めたが、デモは東ドイツだけではなく、ハンガリー、チェコスロバキア（当時）、ブルガリア、ポーランドなど、東欧諸国にも波及していった。

その後、東ドイツ政府が１９８９年10月７日に建国40周年を祝ったが、やがて市民のデモのスローガンは、「われわれはひとつの国民だ」（Wir sind ein Volk.）となり、「月曜デモ」は大きなうねりに変わった。定冠詞 das が不定冠詞 ein に変化したのは、最初、das Volk によって主権者国民という反体制的な国民であることを訴えていたものが、ein Volk によって「ひとつ」が強調され、再統一への願望が表面に出るようになったことを意味する。それがドイツ再統一の原動力であり、瞬く間に東ドイツ中へ広がった。

東ドイツ建国40周年記念日と同じ日、すなわち10月７日にベルリンで数千人、10月９日にはライプツィヒで７万人デモがあり、翌週には12万人デモへと拡大した。当時の東ドイツのホーネッカー書記長はまだ武力行使を想定していたが、政府内部で批判が噴出し、力で抑え込むことに反対する勢力が多数を占めるようになった。こうして10月18日にホーネッカーは辞任を余儀なくされた。11月４日の１００万人デモは、東ドイツ政府がもはやコントロールできるものでないほど拡大したが、天安門事件の教訓からか、デモは非暴力に徹していた。

たしかにペレストロイカ以降、時代は希望を生み出したとはいえ、その先どうなるかは誰一人知る由もなかった。ホーネッカーのあと登場したモドロウ新首相は、東ドイツの改革派で知られ、ドイツ再統一についてはゆるやかな４段階の改革統合案を提唱した。しかし当時の西ドイツのコール首相にしてみれば、ベルリンの壁の崩壊をドイツ再統一の千載一遇のチャンスと見立て、これを一気に実

図 50-1：1989 年 11 月 4 日の東ベルリンのデモ

現したいと考えたのも当然であった。コール首相は、再統一の最大の障壁が東ドイツのＮＡＴＯ（北大西洋条約機構）化にあることを知り抜いていた。コール首相はゴルバチョフ書記長に、再統一ドイツがＮＡＴＯに残留する旨の確約を取り付けた。これが可能であったのは、時のソ連の代表がゴルバチョフ書記長だったからだ。

生き残ったアンペルマン

東ベルリンでは再統合後、すべてが西ドイツ化されたが、ただベルリンの交通信号のアンペルマンだけは例外であった。もちろんドイツ再統一の際に、この信号機についても西ドイツ基準が提案され、いったんそれに決まったが、変更していくにつれ、アンペルマンを惜しむ声があちこちから上がってきた。それほどこの信号機は市民の中に深く浸透し、なじみ深いものになっていたからである。

図 50-2：旧東ドイツのアンペルマン

アンペルマンは、西ドイツ化への反対運動の盛り上がりによって全廃は免れ、やがて不死鳥のように復活した。元をただせば、アンペルマンは、1960年に心理学者のカール・ペグラウが発案したものであった。交通標識としては大量輸送、スピード化によってますます重要視され、赤、緑、黄色も国際基準に合わせた。アンペルマンのようなピクトグラムは、思想、イデオロギーや体制などとは無関係に、人びとの意識の中に定着する。ただしそれは、旧東ドイツの人びとにとって、旧時代への一種のオスタルギーの象徴となった。

生き残ったアンペルマンは極めてシンボル的な信号機であったと考えられる。ドイツ再統一は、赤信号か、黄色信号か、はたまた緑信号だったのか、それを暗示するものであったのだから。すなわち赤は分裂した2つの体制を温存する東西ドイツのまま、黄は注意しながら段階的に再統一を目指す、緑はただちに再統一を実施するというシグナルを意味する。東ドイツの人びとが選択したのは緑であった。当時の東ドイツのうねるようなデモの状況では、赤信号や黄信号では収まりがつくはずはなく、流血の惨事へ発展する危険性があったからだ。

しかもそれは、上からの強権的な命令ではなく、安全に注意しながら総選挙によって民衆の投票が決定した。そのプロセスでドイツ再統一の願いは、壁崩壊以前からWir sind ein Volk. というデモのスローガンに内包されていたことが分かる。ロタール・デメジエールが率いるキリスト教民主同盟が、東ドイツ初の自由選挙で圧勝したのは、壁崩壊以前からドイツの人びとが望んでいたことの追認にほかならなかった。しかし自由選挙という洗礼は、政治の世界ではもっとも重要なことである。

ドイツ再統一は、いろいろな幸運に恵まれた結果である。それは東ドイツ市民たちの理性的な行動と、繰り返すがゴルバチョフの英断であり、この意味においてかれは、真の意味におけるノーベル平和賞に値する人物であった。新生ドイツが無血で第二次世界大戦の悲劇を締めくくることができたのは、本当に僥倖そのものである。通常、歴史は流血によってしか変化しないものであるからだ。

（浜本隆志）

51

直近の連邦議会選挙とベルリン市議会選挙

★ドイツの行方★

2021年の連邦議会選挙結果

ドイツの連邦議会の総選挙は、4年任期の小選挙区比例代表並列制であるが、1人2票が割り当てられ、1票を小選挙区の候補者に、もう1票を政党名に投票するシステムで行われる。2021年9月26日のドイツの総選挙の結果、前述のように社会民主党、緑の党、自由民主党の3党連立内閣が成立した（61ページ参照）。各党の得票率、獲得議席、2017年選挙との比較などを要約すると、表51－1のようになる。

国政選挙の結果では以上のように、ドイツ社会民主党は合計53議席増やした。この議席増は前回の4年前の減少分の回復という意味があるので、その分析には注意を要する。同様に緑の党の51議席増は、世界的な環境問題への関心の高まりが追い風になったといえる。

この結果から、ドイツの政治は社会民主党の旧来の福祉型政策と、緑の党の環境問題に重点が置かれるものと判断できる。

これまで政権の中枢を担ってきたキリスト教民主・社会同盟は、合計50議席減らし、今回は政権に加わらず、メルケル首相は退任した。人びとが一番神経をとがらせていた極右政党、ド

表51-1：2021年総選挙の結果

	得票率（%）	獲得議席数	2017年選挙の得票率と議席数の比較	
ドイツ社会民主党	25.7	206	＋5.2	＋53
キリスト教民主・社会同盟	24.1	196	－8.8	－50
緑の党	14.8	118	＋5.9	＋51
自由民主党	11.5	92	＋0.8	＋12
ドイツのための選択肢	10.3	83	－2.3	－11
左翼党	4.9	39	－4.3	－30

イツのための選択肢は、コロナ禍のためか伸び悩んだ。その結果、今回は大きな不協和音なしに連立政権が立ち上がった。旧東ドイツの社会主義統一党（SED）の流れを汲む左翼党は、30議席減という結果であり、退潮は否めない。なおドイツには少数政党の乱立を避けるために、5％条項（得票率5％未満の政党には議席を与えない条項）があるが、小選挙区で3人以上当選者がいれば、議席配分があることを付記しておきたい。

ここではっきりいえることは、緑の党の躍進がドイツ政治の環境問題へのシフトを暗示していることである。反原発だけでなく、カーボンニュートラル社会へ向けて、環境政党がイニシアティブをとる構図が生まれるであろう。ただしドイツの政局は一極集中や二党連立ではなく、多党連立化の時代に向かっていくものと考えられる。

ベルリン市議会選挙結果

連邦議会選挙と同じ2021年9月26日に各州議会選挙も行われた。その任期は5年であり、2021年は偶然、国政選挙と同日になった。ベルリン市議会選挙の結果は表51――2の通りであ

表51-2：2021年ベルリン市議会選挙結果

	得票率（％）	獲得議席数	2016年選挙との得票率と議席数の比較	
ドイツ社会民主党	21.4	36	－0.2	－2
緑の党	18.9	32	＋3.7	＋5
キリスト教民主同盟	18.0	30	＋0.4	－1
左翼党	14.0	24	－1.6	－3
ドイツのための選択肢	8	13	－6.2	－12
自由民主党	7.2	12	＋0.5	0

る。

ベルリン市議会においてもドイツ社会民主党が第1党で、第2党が緑の党となり、この党の比率は連邦議会よりウェイトが大きくなっている。ベルリン市議会与党はこの2つの政党と左翼党が入り、3党の文字通り左寄りの連立政権が今期も継承されることとなった。今回の選挙で左翼党（東ドイツの社会主義統一党SEDの流れを汲む政党）は、ベルリン市議会でも得票率と議席数を減らしたが、それでも旧東ベルリンをバックグラウンドに持っているので、この政党には根強い支持がある。

これに対し、今回のベルリン市議会選挙では、すでに述べたようにドイツのための選択肢が大幅に支持率、議席数を減らした。これが一過性なのか、また復活するのか、現在のコロナ禍のもとでは即断できず、今後の動向が注目される。ドイツの政治は国内だけでなく、EU各国にも大きな影響を与え、各国のとりわけポピュリズム政党と、移民・難民問題は連動しているからである。それは、ひいては国際政治の動静を規定することになるので、ドイツの現代政治から目を離すことはできない。

（浜本隆志）

52

『永遠平和のために』

★カントの遺言★

壁の歴史

ベルリンに特化して長々とその歴史を語ってきたが、ここで総括をしてみたい。いうまでもなくベルリンはヨーロッパ大陸に位置している。ベルリンだけに限ったことではないけれども、古代からヨーロッパの都市は壁によって囲まれ、防御されてきた。しかしこれは、近代になって不要となり撤去され、多くは環状道路に生まれ変わった。ヨーロッパ各地で何度も壁の拡大・変遷を経て、結局、壁は同様の歴史をたどってきた。

ところがベルリンだけは特異な歴史を持つ。すなわち13世紀に双子都市が存在したことはすでに触れたが、その後ベルリンは一体化しながら、ドイツ帝国の首都となった。しかし第二次世界大戦後に、東ベルリンと西ベルリンを分断した政治的な壁が再構築されたという歴史をたどる。通史としてみれば、有名な「ベルリンの壁」も、大陸の都市の歴史が生み出した戦争の帰結であった。その意味でシンボルとしての「ベルリンの壁」とその崩壊は、戦争と平和の記念碑である。

ヨーロッパ北部に位置していたプロイセンも、近隣の諸邦だけでなく、ハプスブルク家、フランス王国、ポーランド王国に

図 52-1：EU 旗

囲まれ、生き残るために軍備増強に励んだ。それによって結果的に対外戦争を何度も繰り返した。とりわけ命運を決したのは、対フランスとの戦争であった。この戦争の連鎖については本文でも触れたので繰り返さないが、ナポレオン戦争、普仏戦争、第一次世界大戦、第二次世界大戦の反省から、大戦後に欧州石炭鉄鋼共同体が発足した。これが母体となって現在のＥＵが成立してから、もはやヨーロッパは恩讐を越え、一体化したＥＵが存在感を示している。

平和の願い

ＥＵの平和の理念はＥＵ旗やＥＵの歌に込められている。旗は青を基調に12の金星という構図である（図52－1）が、青はヨーロッパ人のもっとも好む色で、青空や宇宙を連想させる。12の金星は、キリスト教でいえば12使徒の数であり、時計の12進法の数であるが、これは循環と調和の意味を示している。要するにＥＵ旗は、晴れた青空に星の輝きをイメージし、平和、調和、平等の理念をシンボル化したものである。

次にＥＵの歌がベートーヴェン（１７７０～１８２７）の第九（歓喜に寄す：An die Freude）であることは、よく知られている。ただしメロディだけで、シラー（１７５９～１８０５）の歌詞は付けられていないが、誰しもがそのメロディから、シラーの「すべての人間は兄弟になる、」（Alle Menschen werden Brüder.）という崇高なコスモポリタニズム理想が連想できる。

それとのかかわりで『ドイツ・フランス共通歴史教科書』のことを付言しておきたい。これは戦火を交えてきたドイツとフランスが戦争を回避し、平和を築くために作られた教科書である。すなわち両国の歴史家が、同一内容の教科書をドイツ語とフランス語で作成し、それぞれの国の高校生に教えている。この試みは独仏の歴史において画期的なものである。シラーの理念の延長線上にこの教科書が位置付けられよう。日本と近隣諸国で同じ共通教科書を作ることなどは、とても実現できそうにないからだ。

このような一連の流れに敵対し、現代でもヨーロッパ各国のナショナリズムやポピュリズム政党は、反EU運動を展開している。その中でも何度も採り上げた「ドイツのための選択肢」は、2021年9月の国政選挙では退潮したが、旧東ドイツのザクセンやテューリンゲン、メクレンブルク＝フォアポンメルンの各州（選挙年月日が同一ではない）では、現在第2党か第3党を保持している。ここに旧東ドイツが抱えている政治矛盾が反映されているといえる。コロナ禍が過ぎ去れば今後どうなるか分からないが、しかし外国人排斥やナショナリズムの称揚は、国民の対立感情を生み出し、ヨーロッパに再び騒乱をもたらす可能性がある。

風雲急を告げるカリーニングラードとカントの遺言

かつてのケーニヒスベルク、すなわちロシアの飛び地、カリーニングラードは現在、ロシアのウクライナ侵攻後、極めて微妙な地理的位置関係に置かれた。ここは歴史的にドイツ騎士修道会の築いた都市であり、しかもカントが生まれ、愛着を持って終の住処《すみか》とした街としても知られている。かつて

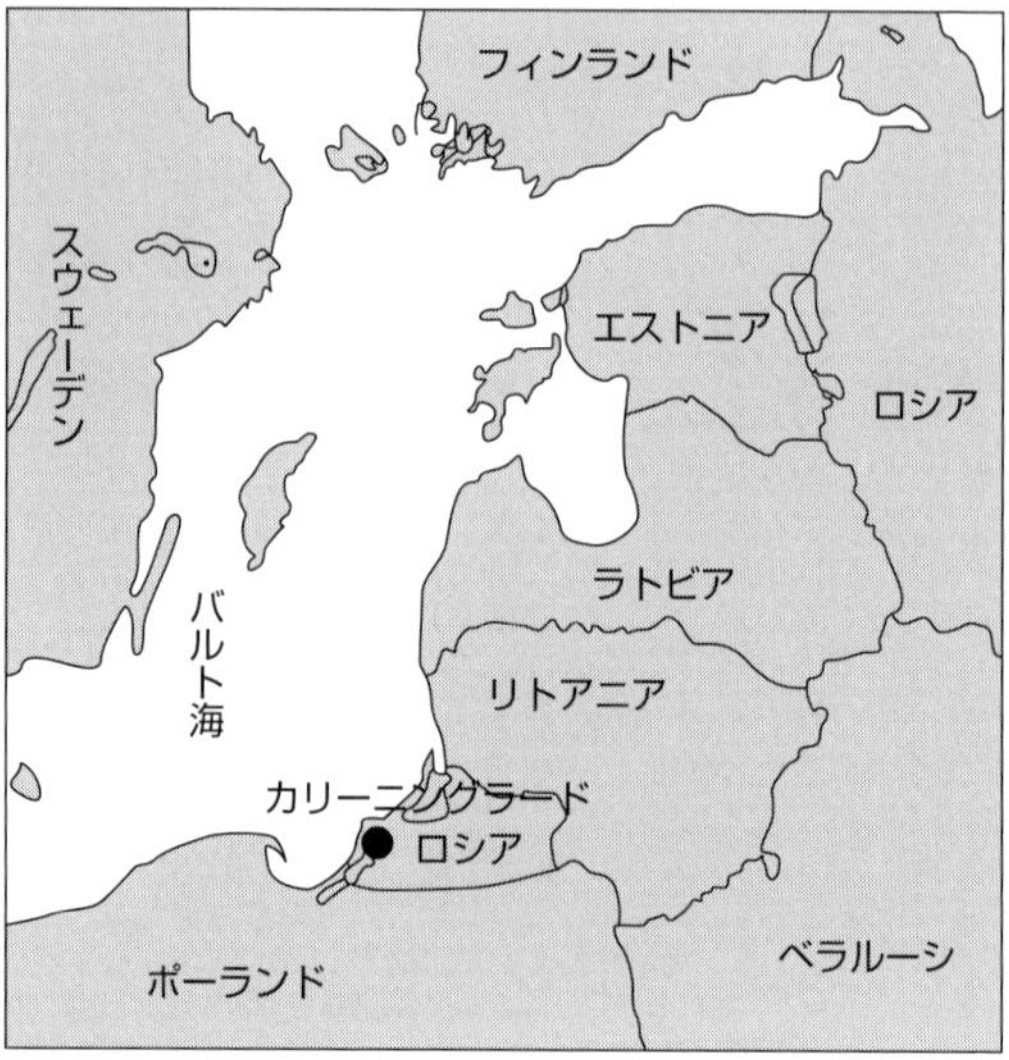

図 52-2：カリーニングラード（旧ケーニヒスベルク）

ケーニヒスベルクは東プロイセンの首都であり、ベルリンと「姉妹都市」であったが、今やめぐりめぐってロシア領となり、しかも飛び地という地理的状況にある。戦略的にロシアがバルト海に面した不凍港カリーニングラードを死守することは明らかだ。

　ベルリンをテーマにした本書の最終章で、あえてカリーニングラードを持ち出したのは、ベルリンの壁は崩壊したが、ウクライナ侵攻によってこの地が「東西」分断の壁の最前線と化しているという意味においてである。バルト三国はかつてドイツ騎士団の侵略を受けたり、騎士団と戦争をしたりしたが、その後、ロシア帝国、ソ連の支配も経験してきた。とくにリトアニアは、地政学的に飛び地のカリーニングラードとロシア本国とを結ぶ鉄道を有しているので、対ロシア経済制裁の主導権を握る立場にある。ただしそれが紛争の火種にもなりかねない危険性がある。しかも周辺国のフィンランド、スウェーデンはＮＡＴＯに加盟するという決断をしたし、それに対してロシアは両国に軍事的な「恫喝」をかけている。

かつての東プロイセンの辺境の地ケーニヒスベルクで、哲学者カントはプロイセン王国とフランス共和国のバーゼル和約（1795）にちなんで、『永遠平和のために』を世に出した。バーゼル和約が両国の講和のための外交交渉にすぎないことを見抜いたカントは、哲学者らしくその根本問題に立ち戻って、一種の「遺言」として、徹底した平和の問題を提起した。その中でカントは共和制、民主主義への賛同、常備軍の放棄、国際機関の設立などを具体的に提言した。かれの思想は一言でいえば、コスモポリタニズムである。その意味で理念的にはカント、シラー、ベートーヴェンは深くつながっていたのである。

この老哲学者の「遺言」は、後のドイツとフランスの19－20世紀の歴史では、両国の首脳によって無視され続け、両国は戦争を繰り返してきた。しかし第二次世界大戦後、未曽有の災禍によってようやく歩み寄り、前述のように共通教科書の実現、EU統合を成し遂げたのは、カントの遺言に一歩近づいた前進といえよう。ただカントのコスモポリタニズムや世界平和は理想であるが、実現は極めて困難な見果てぬ夢、絵空事であるという人はいる。

ところが、今世紀でもウクライナ侵攻が起こるという戦争の現実を目にするとき、カントの『永遠平和のために』は、再びクローズアップされ、リアリティを持つようになった。激動のドイツの歴史を振

図52-3：カリーニングラードのカント像

り返るとき、ケーニスベルクから発せられたカントの言葉を、今一度しっかりと噛みしめたいと思う。ドイツは政治よりも哲学の方がはるかに先行した、「思索の国」であったことを思い知るのである。

（浜本隆志）

あとがき

ベルリンは北緯52度31分、これは稚内よりさらに北方のサハリン北部と同緯度だ。夏至は日の出が午前4時43分、日の入りが午後9時33分（夏時間）で、やたらと日が長い反面、冬至は、午前8時15分に夜が明け、午後3時46分にもう日が暮れる。夏は気候変動の影響で30度を超える日があるが、湿気が少なく暮らしやすい半面、真冬は時にはマイナス10数度まで下がって厳しい寒さとなり、日照時間が限りなく少ない。筆者はこの北国のベルリンに住んで20有余年になる。思えば日本で暮らした年数より長くなったが、筆者のベルリンとのかかわりについて少し語ってみたい。

はじめてベルリンを意識したのは中学生のとき。たまたま好きだったバンドがベルリンのハンザスタジオでレコーディングをしていたからだ。高校生のときにはベルリンの壁崩壊のニュースをテレビでみて驚いた。そして大学生のときに観たヴィム・ベンダースの『ベルリン・天使のうた』が決定打になり、一度この足でベルリンという街を歩いてみたい、そんな風に思うようになった。それが大学で英文科の学生だった頃だ。ヨーロッパに一人旅をする際のざっくりとした行き先を「ロンドン、アムステルダム、ベルリン、パリ」にしたのもそんな理由からである。

ロンドンも魅力的な街だったが、それにも増して興味を惹かれたのがベルリンだった。首都なのに街の中心地が広々とした空き地だったのが不思議で仕方なかった。壁が撤去された跡地がここそこに点在していたためだ。英文科の学生だったが、ドイツ語を第2外国語として選択していたのは運が良かった。ミヒャエル・エンデの『はてしない物語』や『モモ』が子どもの頃の愛読書でもあった。

そんな風に出会った「ベルリンの魅力」を語る前に、皆さんにお伝えしておきたいことがひとつある。それはベルリンという街が多くのドイツ人にとっては「ドイツらしくない街」だと認識されているということ。そういう筆者も実はドイツが好きでベルリンに住んでいるわけではない。あくまでもベルリンという街に惹かれてベルリンに住んでいる。この差をご理解していただけるだろうか。

この街はドイツの中にあってドイツらしくない、そのような少し特殊なキャラクターを持っている。ドイツが連邦制でそれぞれの地域に特有のアイデンティティーがあるのもその理由だろう。たとえば、港町で先進的なハンブルク、カトリック色が強く保守的なバイエルン、といったようにその差は大きい。では、ベルリンらしさとは何だろう。90年代の「びっくり箱」的な要素は時代の変化とともに消えてしまったが、この街には他人に対して寛容なところがある。いい意味で他人にあまり関心がないというか、干渉してこないのがベルリナー（ベルリンっ子）なのである。それはお客さま扱いされない、ということにもつながるのかもしれない。「ユートピア」なんてどこにもないし、自由だと感じるか感じないかは個人の問題だが、あまり細かなことを気にせずマイペースに暮らしたい人にベルリンは向いている。

ベルリンには昔から、経済力というよりは文化的な土俵で勝負するようなところがある。以前、ベルリン市長だったヴォーヴェライト（Wowereit）氏がベルリンのことを「Arm aber Sexy」（貧乏だがセクシーだ）と形容したのは有名な話だ。かれはゲイ（同性愛者）であることをカミングアウトした市長でもあった。

壁崩壊直後のベルリンはただ同然で生活できるほど家賃が安かった。そこへクリエイティブなエネルギーに惹かれて、多くのアーティストがやってきた。それこそ道を歩けば変な人に当たる、というくらい90年代のベルリンには面白い出会いが街角に転がっていた。今や、当時のようにふらっと来て、気軽に生活が始められるような雰囲気はどこにもないが、それでもまだ多くの人を惹きつける何かがベルリンにはあるように思える。街が汚い、新空港が機能しない、といったことにはこの際目をつぶろう。

とくに明確な目的も持たず、「気になるから1年くらい住んでみたい」という気持ちで日本の大学卒業とほぼ同時に住み始めたベルリン。気付けばもう20年以上になるが、日常生活は、子どもたちの育児を通しての社会とのかかわりだけでなく、できるだけ他分野への興味を仕事にも生かすよう心掛けてきた。たとえば筆者が映像制作会社のコーディネーターやフリーランスとして今まで携わった、ドイツやヨーロッパ紹介という主な仕事の一端を列挙しておこう。

- 「夢の音楽堂」小澤征爾とウィーン国立歌劇場編 /NHK BS/NEP
- 「日立　世界ふしぎ発見！」ルートヴィッヒ王編 /TVMAN UNION/TBS
- 「サンデープロジェクト」FC バイエルン特集 /TV 朝日
- 「欧州鉄道の旅」バルト三国編 /BS FUJI
- 「ドイツのトイレ事情」「難民問題」「難民とスポーツ」リサーチおよび取材同行 / 朝日新聞 GLOBE
- プロワイン見本市通訳アテンド　(チェコ、ドイツ)

・「気候変動会議」取材／TBS／BS
・「世界遺産」撮影コーディネート／TBS
・J-Techインタビュー撮影　／　NHK World（スイス）
・バウハウス視察、撮影／dentsu／旭化成ホームズ
・「世界くらべてみたら」撮影／TBS
・『分断した世界』高城剛氏、取材コーディネート／集英社
・「劇場版ヴァイオレット・エヴァーガーデン」ロケハン／ABCアニメーション
・ドイツの小学生を対象に算数コミックを制作／Aha!Comicsなど

今回、ベルリン在住の友人を通して関西大学の浜本隆志名誉教授と共同執筆というかたちでこの本のお話をいただいた。筆者は歴史の専門家でもないし、大学で教鞭を執っているわけでもない。ベルリンという街に惹かれ、気付いたら20年以上もこの街で暮らしている一個人でしかない。それでもできるだけ現地の声やこの街で生活している者の視点や経験を生かした文章を書くよう心掛けた。あくまでも個人の見解でしかないが、ほんの少しでもベルリンという街の魅力が伝われば嬉しい限りである。

なお明石書店の大江道雅社長には、本書の出版にたいへんご尽力をいただいた。また実際の編集作業では、岩崎準さんにいろいろお手を煩わした。末筆になってしまったが、お二人に衷心より感謝の意を表したい。

（希代真理子）

主要参考文献、「ウェブサイト」

邦文

飯田洋介『ビスマルク――ドイツ帝国を築いた政治外交術』中公新書　２０１５年
石田勇治（編著）『図説　ドイツの歴史』河出書房新社　２００７年
ヴォルフルム、エドガー『ベルリンの壁――ドイツ分断の歴史』洛北出版　２０１２年
潮木守一『フンボルト理念の終焉？――現代大学の新次元』東信堂　２００８年
小澤征爾『ボクの音楽武者修業』新潮文庫　２００２年
ガイス、ペーター・他（監修）『ドイツ・フランス共通歴史教科書・現代史』福井憲彦・他（監訳）明石書店　２００８年
ガイス、ペーター・他（監修）『ドイツ・フランス共通歴史教科書・近現代史』福井憲彦・他（監訳）明石書店　２０１６年
カント、イマヌエル『永遠平和のために』宇都宮芳門訳岩波文庫　２００９年
衣笠太朗『旧ドイツ領全史』合同会社パブリブ　２０２０年
髙橋憲『ドイツの街角から』郁文堂　２０１７年
谷克二『図説　ベルリン』河出書房新社　２０００年
武邑光裕『ベルリン・都市・未来』太田出版　２０１８年
田野大輔・他（編著）『教養のドイツ現代史』ミネルヴァ書房　２０１６年

ダン、オットー『ドイツ国民とナショナリズム　１７７０―１９９０』末川清・他（訳）名古屋大学出版会　１９９９年
仲井斌『ドイツが一つになる』日本放送出版協会　１９９０年
ハイデン＝リンシュ『ヨーロッパのサロン』石丸昭二（訳）法政大学出版局　１９９８年
ヒトラー、アドルフ『わが闘争』（上・下）平野一郎他（訳）、角川文庫、１９７３年
平井　正『ベルリン　１９１８―１９２２』せりか書房　１９８０年
平井　正『ベルリン　１９２３―１９２７』せりか書房　１９８１年
平井　正『ベルリン　１９２８―１９３３』せりか書房　１９８２年
平田達治『ベルリン・歴史の旅』大阪大学出版会　２０１０年
前田正明・他『ヨーロッパ宮廷陶磁の世界』角川選書　２００６年
メーラート、ウルリヒ『東ドイツ史　１９４５―１９９０』伊豆田俊輔訳　白水社　２０１９年
レッシング、ゴットホルト・エフライム『賢者ナータン―五幕の劇詩』市川明訳　松本工房　２０１６年

欧文

S. Beneke ua.（Hrsg.）: Zuwanderungsland Deutshland. Die Hugenotten, Berlin 2005.
W. Biermann:Warte nicht auf bessre Zeiten! Die Autobiographie,Berlin 2016.
T. Flemming:Die Berliner Mauer: Geschichte eines politischen Bauwerks,Berlin 2019.

H. Ostwald:Berliner Kultur- und Sittengeschichte, Paderborn 1926.
T. Palmer ua.: Die Weimarer Zeit in Pressefotos und Fotoreportagen,Köln 2000.
S. Haffner: Preußen ohne Legende, Hamburg 1979.
J. Steinberg: Bismarck: A Life, Oxford 2011.
M. Vogt（Hrsg.）: Deutsche Geschichte: von den Anfängen bis zur Gegenwart, Stuttgart 1997.
T. H. von der Dunk: Das Deutsche Denkmal,Köln 1999.
D. Wienecke-Janz（Projektleitung）: Nationalsozialismus und Zweiter Weltkrieg: 1933-1945, München 2008.
K. Zentner（Hrsg.）Bild der Geschichte: HITLER, Hamburg 1989.
D. Zimmerling: Der Deutsche Ritterorden, München 1990.

主要「ウェブサイト」

https://www.bundesregierung.de/breg-de/suche/maskenpflicht-in-deutschland-1747318
https://www.bbk.bund.de/SharedDocs/Downloads/BBK/DE/Downloads/Krisenmanagement/BT-Bericht_Risikoanalyse_im_BevSch_2012.pdf?__blob=publicationFile
https://www.bmfsfj.de/bmfsfj/themen/corona-pandemie/aufholen-nach-corona
https://www.bundesregierung.de/breg-de/aktuelles/aktuelle-corona-lage-1983212
https://www.bundesregierung.de/breg-de/aktuelles/corona-mpk-1980850

https://www.tagesschau.de/inland/corona-impfstoff-kinder-101.html
https://de.statista.com/statistik/daten/studie/1094889/umfrage/anzahl-der-auslaender-in-berlin-nach-staatsangehoerigkeit/
https://www.berlin.de/tourismus/parks-und-gaerten/3560778-1740419-tiergarten.html
https://taz.de/taz-Serie-Schillerkiez-Buergerprotest/!5109494/
https://www.thf-berlin.de/beteiligung/volksentscheid-2014/
http://www.mauerparkkultur.de/
https://www.mauerpark.info/2021/09/acoustic-shell-erste-shell-im-mauerpark-startklar/Neues Stadtquartier entsteht rund ums einstiege Tacheles
https://www.holzmarkt.com/
https://eckwerk.holzmarkt.com/
https://www.morgenpost.de/berlin/article212700287/Holzmarkt-in-Friedrichshain-Aerger-ums-Modellprojekt.html
http://haus-schwarzenberg.org/schwarzenberg-e-v/gegenwart-und-zukunft/
https://www.museum-blindenwerkstatt.de/de/ausstellung/geschichte/
https://www.annefrank.de/ueber-uns/verein/geschichte/
https://marikokitai.com/holzmarkt/
http://www.museumsinsel-berlin.de/masterplan/projektion-zukunft/

https://www.humboldtforum.org/de/

図版出典一覧（ウィキペディアなどは除く）

図1-1, 図1-2：https://thebridge.jp/en/2020/02/infarm-japan-expansion
図1-3 https://cityup.jp/pr/2020/02/2326/
図3-1：© n.b.k. / イェンス・ツィーエ゛ 2018
図6-1：© Statista 2022
https://www.destatis.de/DE/Themen/Gesellschaft-Umwelt/Bevoelkerung/_Grafik/_Interaktiv/auslaendische-bevoelkerung-top10.html?nn=208952
図9-1：https://www.check24.de/strom/strommix-deutschland/
図9-2：https://www.shz.de/deutschland-welt/panorama/umstrittenes-projekt-eu-experten-beraten-ueber-ostseepipeline-nord-stream-2-id17933121.html
図11-1：*DESI 2021, Europäische Kommission.*
図11-2　*https://www.tagesspiegel.de/berlin/bezirke/baustart-mit-einem-jahr-verzoegerung-stargarder-strasse-in-prenzlauer-berg-wird-zur*-fahrradstrasse/27383408.html
図12-2：https://search.yahoo.co.jp/image/search?p=berlin%20dach%20biotop%20gr%C3%BCn&n= 20&vm=i&ei=UTF-8&aq=-1&oq=#a986d8f7b69f484e47827419d432a01d
図13-2：https://www.mauerpark.info/spielregeln/

図19-2：https://www.gartenfachberatung-berlin.de/fachthemen-inhalte/winterzeit-planungszeit/detailplanung-gemuesegarten/

図15-1：https://de.statista.com/statistik/daten/studie/36573/umfrage/pro-kopf-verbrauch-von-fleisch-in-deutschland-seit-2000/

図15-2：https://de.statista.com/infografik/24000/anzahl-der-vegetarier-und-veganer-in-deutschland/

図16-1：https://www.statista.com/statistics/273090/worldwide-sales-of-organic-foods-since-1999/

図16-2：https://search.yahoo.co.jp/image/search?p=worldweide%20oganic%20retail%20sales%202020%20fibl&aq=-1&ei=UTF-8&fr=top_ga1_sa&oq=#423243e514b2c81ea3b3e40a1e08651b

図16-1：https://www.statista.com/statistics/273090/worldwide-sales-of-organic-foods-since-1999/

図16-3，図16-4：https://search.yahoo.co.jp/image/search?p=%20biomarkt%20map%20%20berlin%202019&fr=top_ga1_sa&ei=UTF-8&aq=-&oq=#5844a9d3603e240fc82b4d9b429d9

図16-5：https://www.humboldtforum.org/de/architektur/stadtraum/

図17-2：https://ameblo.jp/francemacaron/entry-12155529240.html

図20-1：https://www.domene-dahlem.de/

図24-1：https://www.alnatura.de/de-de/ueber-uns/presse/pressebilder/

© bpk / Stiftung Preußischer Kulturbesitz, ART+COM

図24-3：https://www.artatberlin.com/portfolio-item/prozessionsweg-zum-ischtar-tor-aus-babylon/

© bpk / Stiftung Preußischer Kulturbesitz, ART+COM

図25-3,4：https://www.humboldtforum.org/de/presse/medien/kuenstlerisches-programm-und-veranstaltungen/

図25-4：Kulturprojekte Berlin und Stadtmuseum Berlin, Foto Alexander Schippel

図28-4,5：https://www.hdg.de/traenenpalast

https://www.hdg.de/presse

© Stiftung Haus der Geschichte/Christoph Petras

図29-1：© Berlin Tourismus & Kongress GmbH

https://www.visitberlin.de/de/u5-die-neue-u-bahnlinie-berlin#/

図30-1：http://ag-historische-mitte-berlin.de/index_htm_files/02-Berlin-1250%20-%20gross.jpg

図34-1：https://commons.wikimedia.org/wiki/File:Einzug_Napoleons_in_Berlin,_1806.JPG

図42-2：http://blog-imgs-38.fc2.com/w/o/l/wolff/Olympic_Games_1936_map.jpg

図48-1：Bundesarchiv, Bild 183-1990-0803-017 / Settnik, Bernd / CC-BY-SA 3.0

図52-2：https://www.lt.emb-japan.go.jp/itpr_ja/nichi_lt_kankei.html

〈著者略歴〉

浜本隆志（はまもと・たかし）
1944年香川県生まれ。現在、関西大学名誉教授、ワイマル古典文学研究所、ジーゲン大学留学。ドイツ文化論、比較文化論専攻。
主要著作
『魔女とカルトのドイツ史』（講談社現代新書）、『ナチスと隕石仏像』（集英社新書）、『「笛吹き男」の正体』（筑摩選書）、『図説　ヨーロッパの装飾文様』（河出書房新社）、『現代ドイツを知るための67章』（明石書店、編著）、『ポスト・コロナの文明論』（明石書店）など多数。

希代真理子（きたい・まりこ）
1973年大阪生まれ、奈良育ち。1995年よりドイツ・ベルリン在住。フンボルト大学でロシア語学科を専攻した後、モスクワの医療クリニックでインターン。その後、ベルリンの映像制作会社に就職し、コーディネーターとして主に日本のテレビ番組の制作にかかわる。2014年よりフリーランスとして活動。メディアプロダクションに従事。2020年にAha!Comicsのメンバーとして、ドイツの現地小学校を対象に算数の学習コミックを制作。『ベルリン｜廃墟と記憶』近刊（自費出版）。

エリア・スタディーズ　194
ベルリンを知るための52章

2023年　3月10日　初版第1刷発行

著　者　浜本隆志
　　　　希代真理子
発行者　大江道雅
発行所　株式会社 明石書店
〒101-0021 東京都千代田区外神田6-9-5
電話　03（5818）1171
FAX　03（5818）1174
振替　00100-7-24505
http://www.akashi.co.jp/
装丁　明石書店デザイン室
印刷・製本　モリモリ印刷株式会社

（定価はカバーに表示してあります）　ISBN978-4-7503-5507-8

エリア・スタディーズ

1 **現代アメリカ社会を知るための60章**
明石紀雄、川島浩平 編著

2 **イタリアを知るための62章**【第2版】
村上義和 編著

3 **イギリスを旅する35章**
辻野功 編著

4 **モンゴルを知るための65章**【第2版】
金岡秀郎 著

5 **パリ・フランスを知るための44章**
梅本洋一、大里俊晴、木下長宏 編著

6 **現代韓国を知るための60章**【第2版】
石坂浩一、福島みのり 編著

7 **オーストラリアを知るための58章**【第3版】
越智道雄 著

8 **現代中国を知るための52章**【第6版】
藤野彰 編著

9 **ネパールを知るための60章**
日本ネパール協会 編

10 **アメリカの歴史を知るための65章**【第4版】
富田虎男、鵜月裕典、佐藤円 編著

11 **現代フィリピンを知るための61章**【第2版】
大野拓司、寺田勇文 編著

12 **ポルトガルを知るための55章**【第2版】
村上義和、池俊介 編著

13 **北欧を知るための43章**
武田龍夫 著

14 **ブラジルを知るための56章**【第2版】
アンジェロ・イシ 著

15 **ドイツを知るための60章**
早川東三、工藤幹巳 編著

16 **ポーランドを知るための60章**
渡辺克義 編著

17 **シンガポールを知るための65章**【第5版】
田村慶子 編著

18 **現代ドイツを知るための67章**【第3版】
浜本隆志、髙橋憲 編著

19 **ウィーン・オーストリアを知るための57章**【第2版】
広瀬佳一、今井顕 編著

20 **ハンガリーを知るための60章**【第2版】 ドナウの宝石
羽場久美子 編著

21 **現代ロシアを知るための60章**【第2版】
下斗米伸夫、島田博 編著

22 **21世紀アメリカ社会を知るための67章**
明石紀雄 監修 赤尾千波、大類久恵、小塩和人、落合明子、川島浩平、高野泰 編

23 **スペインを知るための60章**
野々山真輝帆 著

24 **キューバを知るための52章**
後藤政子、樋口聡 編著

25 **カナダを知るための60章**
綾部恒雄、飯野正子 編著

26 **中央アジアを知るための60章**【第2版】
宇山智彦 編著

27 **チェコとスロヴァキアを知るための56章**【第2版】
薩摩秀登 編著

28 **現代ドイツの社会・文化を知るための48章**
田村光彰、村上和光、岩淵正明 編著

29 **インドを知るための50章**
重松伸司、三田昌彦 編著

30 **タイを知るための72章**【第2版】
綾部真雄 編著

31 **パキスタンを知るための60章**
広瀬崇子、山根聡、小田尚也 編著

32 **バングラデシュを知るための66章**【第3版】
大橋正明、村山真弓、日下部尚徳、安達淳哉 編著

33 **イギリスを知るための65章**【第2版】
近藤久雄、細川祐子、阿部美春 編著

34 **現代台湾を知るための60章**【第2版】
亜洲奈みづほ 著

35 **ペルーを知るための66章**【第2版】
細谷広美 編著

36 **マラウィを知るための45章**【第2版】
栗田和明 著

37 **コスタリカを知るための60章**【第2版】
国本伊代 編著

38 **チベットを知るための50章**
石濱裕美子 編著

39 **現代ベトナムを知るための63章**【第3版】
岩井美佐紀 編著

40 **インドネシアを知るための50章**
村井吉敬、佐伯奈津子 編著

41 **エルサルバドル、ホンジュラス、ニカラグアを知るための45章**
田中高 編著

エリア・スタディーズ

42 パナマを知るための70章【第2版】 国本伊代 編著

43 イランを知るための65章 岡田恵美子、北原圭一、鈴木珠里 編著

44 アイルランドを知るための70章【第3版】 海老島均、山下理恵子 編著

45 メキシコを知るための60章 吉田栄人 編著

46 中国の暮らしと文化を知るための40章 東洋文化研究会 編

47 現代ブータンを知るための60章【第2版】 平山修一 著

48 バルカンを知るための66章【第2版】 柴宜弘 編著

49 現代イタリアを知るための44章 村上義和 編著

50 アルゼンチンを知るための54章 アルベルト松本 著

51 ミクロネシアを知るための60章【第2版】 印東道子 編著

52 アメリカのヒスパニック＝ラティーノ社会を知るための55章 大泉光一、牛島万 編著

53 北朝鮮を知るための55章【第2版】 石坂浩一 編著

54 ボリビアを知るための73章【第2版】 真鍋周三 編著

55 コーカサスを知るための60章 北川誠一、前田弘毅、廣瀬陽子、吉村貴之 編著

56 カンボジアを知るための62章【第2版】 上田広美、岡田知子 編著

57 エクアドルを知るための60章【第2版】 新木秀和 編著

58 タンザニアを知るための60章【第2版】 栗田和明、根本利通 編著

59 リビアを知るための60章【第2版】 塩尻和子 編著

60 東ティモールを知るための50章 山田満 編著

61 グアテマラを知るための67章【第2版】 桜井三枝子 編著

62 オランダを知るための60章 長坂寿久 著

63 モロッコを知るための65章 私市正年、佐藤健太郎 編著

64 サウジアラビアを知るための63章【第2版】 中村覚 編著

65 韓国の歴史を知るための66章 金両基 編著

66 ルーマニアを知るための60章 六鹿茂夫 編著

67 現代インドを知るための60章 広瀬崇子、近藤正規、井上恭子、南埜猛 編著

68 エチオピアを知るための50章 岡倉登志 編著

69 フィンランドを知るための44章 百瀬宏、石野裕子 編著

70 ニュージーランドを知るための63章 青柳まちこ 編著

71 ベルギーを知るための52章 小川秀樹 編著

72 ケベックを知るための54章 小畑精和、竹中豊 編著

73 アルジェリアを知るための62章 私市正年 編著

74 アルメニアを知るための65章 中島偉晴、メラニア・バグダサリヤン 編著

75 スウェーデンを知るための60章 村井誠人 編著

76 デンマークを知るための68章 村井誠人 編著

77 最新ドイツ事情を知るための50章 浜本隆志、柳原初樹 著

78 セネガルとカーボベルデを知るための60章 小川了 編著

79 南アフリカを知るための60章 峯陽一 編著

80 エルサルバドルを知るための55章 細野昭雄、田中高 編著

81 チュニジアを知るための60章 鷹木恵子 編著

82 南太平洋を知るための58章 メラネシア ポリネシア 吉岡政德、石森大知 編著

83 現代カナダを知るための60章【第2版】 飯野正子、竹中豊 総監修 日本カナダ学会 編

エリア・スタディーズ

84 **現代フランス社会を知るための62章**
三浦信孝、西山教行 編著

85 **ラオスを知るための60章**
菊池陽子、鈴木玲子、阿部健一 編著

86 **パラグアイを知るための50章**
田島久歳、武田和久 編著

87 **中国の歴史を知るための60章**
並木頼壽、杉山文彦 編著

88 **スペインのガリシアを知るための50章**
坂東省次、桑原真夫、浅香武和 編著

89 **アラブ首長国連邦（UAE）を知るための60章**
細井長 編著

90 **コロンビアを知るための60章**
二村久則 編著

91 **現代メキシコを知るための70章【第2版】**
国本伊代 編著

92 **ガーナを知るための47章**
高根務、山田肖子 編著

93 **ウガンダを知るための53章**
吉田昌夫、白石壮一郎 編著

94 **ケルトを旅する52章** イギリス・アイルランド
永田喜文 著

95 **トルコを知るための53章**
大村幸弘、永田雄三、内藤正典 編著

96 **イタリアを旅する24章**
内田俊秀 編著

97 **大統領選からアメリカを知るための57章**
越智道雄 著

98 **現代バスクを知るための50章**
萩尾生、吉田浩美 編著

99 **ボツワナを知るための52章**
池谷和信 編著

100 **ロンドンを旅する60章**
川成洋、石原孝哉 編著

101 **ケニアを知るための55章**
松田素二、津田みわ 編著

102 **ニューヨークからアメリカを知るための76章**
越智道雄 著

103 **カリフォルニアからアメリカを知るための54章**
越智道雄 著

104 **イスラエルを知るための62章【第2版】**
立山良司 編著

105 **グアム・サイパン・マリアナ諸島を知るための54章**
中山京子 編著

106 **中国のムスリムを知るための60章**
中国ムスリム研究会 編

107 **現代エジプトを知るための60章**
鈴木恵美 編著

108 **カーストから現代インドを知るための30章**
金基淑 編著

109 **カナダを旅する37章**
飯野正子、竹中豊 編著

110 **アンダルシアを知るための53章**
立石博高、塩見千加子 編著

111 **エストニアを知るための59章**
小森宏美 編著

112 **韓国の暮らしと文化を知るための70章**
舘野晳 編著

113 **現代インドネシアを知るための60章**
村井吉敬、佐伯奈津子、間瀬朋子 編著

114 **ハワイを知るための60章**
山本真鳥、山田亨 編著

115 **現代イラクを知るための60章**
酒井啓子、吉岡明子、山尾大 編著

116 **現代スペインを知るための60章**
坂東省次 編著

117 **スリランカを知るための58章**
杉本良男、高桑史子、鈴木晋介 編著

118 **マダガスカルを知るための62章**
飯田卓、深澤秀夫、森山工 編著

119 **新時代アメリカ社会を知るための60章**
明石紀雄 監修 大類久恵、落合明子、赤尾千波 編著

120 **現代アラブを知るための56章**
松本弘 編著

121 **クロアチアを知るための60章**
柴宜弘、石田信一 編著

122 **ドミニカ共和国を知るための60章**
国本伊代 編著

エリア・スタディーズ

123 **シリア・レバノンを知るための64章**
黒木英充 編著

124 **EU（欧州連合）を知るための63章**
羽場久美子 編著

125 **ミャンマーを知るための60章**
田村克己、松田正彦 編著

126 **カタルーニャを知るための50章**
立石博高、奥野良知 編著

127 **ホンジュラスを知るための60章**
桜井三枝子、中原篤史 編著

128 **スイスを知るための60章**
スイス文学研究会 編

129 **東南アジアを知るための50章**
今井昭夫 編集代表　東京外国語大学東南アジア課程 編

130 **メソアメリカを知るための58章**
井上幸孝 編著

131 **マドリードとカスティーリャを知るための60章**
川成洋、下山静香 編著

132 **ノルウェーを知るための60章**
大島美穂、岡本健志 編著

133 **現代モンゴルを知るための50章**
小長谷有紀、前川愛 編著

134 **カザフスタンを知るための60章**
宇山智彦、藤本透子 編著

135 **内モンゴルを知るための60章**
ボルジギン・ブレンサイン 編著　赤坂恒明 編集協力

136 **スコットランドを知るための65章**
木村正俊 編著

137 **セルビアを知るための60章**
柴宜弘、山崎信一 編著

138 **マリを知るための58章**
竹沢尚一郎 編著

139 **ASEANを知るための50章**
黒柳米司、金子芳樹、吉野文雄 編著

140 **アイスランド・グリーンランド・北極を知るための65章**
小澤実、中丸禎子、高橋美野梨 編著

141 **ナミビアを知るための53章**
水野一晴、永原陽子 編著

142 **香港を知るための60章**
吉川雅之、倉田徹 編著

143 **タスマニアを旅する60章**
宮本忠 著

144 **パレスチナを知るための60章**
臼杵陽、鈴木啓之 編著

145 **ラトヴィアを知るための47章**
志摩園子 編著

146 **ニカラグアを知るための55章**
田中高 編著

147 **台湾を知るための72章【第2版】**
赤松美和子、若松大祐 編著

148 **テュルクを知るための61章**
小松久男 編著

149 **アメリカ先住民を知るための62章**
阿部珠理 編著

150 **イギリスの歴史を知るための50章**
川成洋 編著

151 **ドイツの歴史を知るための50章**
森井裕一 編著

152 **ロシアの歴史を知るための50章**
下斗米伸夫 編著

153 **スペインの歴史を知るための50章**
立石博高、内村俊太 編著

154 **フィリピンを知るための64章**
大野拓司、鈴木伸隆、日下渉 編著

155 **バルト海を旅する40章**　7つの島の物語
小柏葉子 著

156 **カナダの歴史を知るための50章**
細川道久 編著

157 **カリブ海世界を知るための70章**
国本伊代 編著

158 **ベラルーシを知るための50章**
服部倫卓、越野剛 編著

159 **スロヴェニアを知るための60章**
柴宜弘、アンドレイ・ベケシュ、山崎信一 編著

160 **北京を知るための52章**
櫻井澄夫、人見豊、森田憲司 編著

161 **イタリアの歴史を知るための50章**
高橋進、村上義和 編著

エリア・スタディーズ

162 ケルトを知るための65章　木村正俊 編著
163 オマーンを知るための55章　松尾昌樹 編著
164 ウズベキスタンを知るための60章　帯谷知可 編著
165 アゼルバイジャンを知るための67章　廣瀬陽子 編著
166 済州島を知るための55章　梁聖宗、金良淑、伊地知紀子 編著
167 イギリス文学を旅する60章　石原孝哉、市川仁 編著
168 フランス文学を旅する60章　野崎歓 編著
169 ウクライナを知るための65章　服部倫卓、原田義也 編著
170 クルド人を知るための55章　山口昭彦 編著
171 ルクセンブルクを知るための50章　田原憲和、木戸紗織 編著
172 地中海を旅する62章　歴史と文化の都市探訪　松原康介 編著
173 ボスニア・ヘルツェゴヴィナを知るための60章　柴宜弘、山崎信一 編著
174 チリを知るための60章　細野昭雄、工藤章、桑山幹夫 編著
175 ウェールズを知るための60章　吉賀憲夫 編著
176 太平洋諸島の歴史を知るための60章　日本とのかかわり　石森大知、丹羽典生 編著
177 リトアニアを知るための60章　櫻井映子 編著
178 現代ネパールを知るための60章　公益社団法人 日本ネパール協会 編
179 フランスの歴史を知るための50章　中野隆生、加藤玄 編著
180 ザンビアを知るための55章　島田周平、大山修一 編著
181 ポーランドの歴史を知るための55章　渡辺克義 編著
182 韓国文学を旅する60章　波田野節子、斎藤真理子、きむ ふな 編著
183 インドを旅する55章　宮本久義、小西公大 編著
184 現代アメリカ社会を知るための63章〔2020年代〕　明石紀雄 監修　大類久恵、落合明子、赤尾千波 編著
185 アフガニスタンを知るための70章　前田耕作、山内和也 編著
186 モルディブを知るための35章　荒井悦代、今泉慎也 編著
187 ブラジルの歴史を知るための50章　伊藤秋仁、岸和田仁 編著
188 現代ホンジュラスを知るための55章　中原篤史 編著
189 ウルグアイを知るための60章　山口恵美子 編著
190 ベルギーの歴史を知るための50章　松尾秀哉 編著
191 食文化からイギリスを知るための55章　石原孝哉、市川仁、宇野毅 編著
192 東南アジアのイスラームを知るための64章　久志本裕子、野中葉 編著
193 宗教からアメリカ社会を知るための48章　上坂昇 著
194 ベルリンを知るための52章　浜本隆志、希代真理子 著
195 NATO（北大西洋条約機構）を知るための71章　広瀬佳一 編著

——以下続刊

◎各巻2000円（一部1800円）

〈価格は本体価格です〉